선택은 망설이다가

임발 소설집

\ 차 례

나른한 게 좋아요

알림음과 함께 익숙한 메시지가 도착했다. 리완은 자동으로 뜨는 스마트폰의 메신저 창을 바라봤다. 리완은 일주일에 예닐곱 번씩 울리는 소리를 들으며 생일인 사람이 이렇게나 많다는 사실이 새삼 놀라웠다. 이번 주는 평균치를 훌쩍 웃도는 수준으로 특히 더 많았다. 수요일인데 벌써 13개의 생일 알림이 차곡차곡 쌓였다. 무려 13명. 지난 생일 5명, 오늘 생일 2명, 다가오는 생일 6명. 그는 생일로 표시된 13명을 차례대로 훑었다. 오른쪽 끝에 있는 선물하기 버튼은 한결같이 부담스러웠다. 몇 사람 쯤은 교집합이 있을 법도 한데 이들의 연결고리는 단 하나도 없다. 굳이 공통점을 추출하자면 리완과 마지막으로 연락을 한 지가 1년 이상 지난 사람들이라는 것.

리완은 그들이 절대 받을 수 없는 마지막 축하를 보냈다. 아주 조용하고 빠르게. 리완 자신만이 들을 수 있는, 힘 빠진 목소리로 '해피 버스데이 투 유!'라고 한 번씩 공평하게 속삭이며 친구 목록에서 차례대로 삭제를 감행했다. 각각 한 번의 스크롤과 한 번의 클릭으로 알고 지냈던 13명은 그 어떤 흔적도 남기지 않았다. 10명이 넘어가니 이토록 간단한 조작도 시간이 좀 걸리는 것처럼 느껴졌다. 리완이 평소처럼 출근하던 어느 날 아침, 차 안에서 신호가 바뀌기를 기다리면서 스마트폰을 보다 의도치 않게 발견한, 초고속 인간관계 정리법이었다. 처음 한 번 삭제가 어

려웠을 뿐 다음은 일사천리였다. 쉽고 간결했다. 그 뒤로
는 한 달에 서너 번 정도 같은 방식으로 인간관계를 정리
했다. 간혹 삭제할지 남길지 은근히 고민하게 만드는 사이
가 있긴 했지만. 리완이 이러한 행위를 오랜 시간 반복하
고 있다는 건 부인할 수 없는 명백한 사실이었다. 그가 즐
기는 이 은밀한 취미는 하품이 절로 나오는 점심 직후 그
럭저럭 잠을 깨우는, 유해 성분과는 거리가 먼 천연 각성
제였다. 축적된 경험치로 검증한, 리완의 견고한 가치관에
도 상당 부분 일치하는 행동이었다. 리완은 영문도 모른
채 삭제당하는 그들 역시 오래전에 자신과의 관계를 끊었
을지도 모른다고 추측하니 최소한의 죄책감도 사라지는
듯했다.

리완은 엊그제 가까운 동네 친구에게 자신만의 인간관
계 정리 노하우를 털어놨다. 사실 나 있잖아, 라는 말로 시
작했다. 친구와는 어떤 맥락도 없이 실없는 농담 따먹기를
하는 중이었다. 친구가 묻지도 않았는데 무언가에 홀린 것
처럼 리완의 입에서 툭 하고 튀어나와버렸다. 예상 밖으로
친구의 반응은 지나치게 냉소적이었다. 리완은 친구에게
야무지게 타박을 듣고 말았다. 리완은 민망했다. 기분이
썩 좋지 않았다. 친구는 인간관계를 그런 식으로 너무 깔
끔하게 단칼에 정리하는 것도 무조건 좋은 습관은 아니라
고 정색하며 리완을 호되게 나무랐던 것이다. 리완은 '응,

그래.'라고 한 뒤 슬며시 다른 이야기를 이어 붙여서 바로 화제를 전환했다. 리완은 굳이 친구와 불필요하게 머리 아픈 논쟁을 하고 싶지 않았을뿐더러 자신의 의견을 친구에게 관철할 의도도 전혀 없었기 때문이다. 지긋지긋한 논쟁과 토론, 이견 조율 등은 회사에서 이미 섭섭하지 않을 만큼 하고도 넘쳐흘렀다.

늦은 오후까지 바쁜 업무를 처리하고 잠깐 틈이 날 때 리완은 스마트폰에 기본으로 설치된 메모장을 펼쳐보았다. 그는 남들이 흔히 쓰는 일정 앱을 활용하는 대신에 아날로그적인 방법으로 메모장에 일일이 일정을 쓰곤 했다. 메모장에 알림 기능은 따로 없지만, 일정은 하루도 빠짐없이 업데이트되었으므로 최상단에는 보통 일정 메모가 올라와 있는 편이다. 게다가 습관적으로 열어보던 메모장이라 약속을 놓치거나 아예 잊는 경우는 거의 없다. 아니나 다를까 메모장에는 며칠 전에 겨우 잡은 준우 선배와의 저녁 약속 개요가 잘 정리되어 있었다.

"오늘이네. 설마 또 펑크내진 않겠지."

리완은 혼잣말을 내뱉으며 마음속 의심의 소리를 잠재우려 애썼다. 리완은 준우 선배를 이해하기 위해 여러 차례 마음을 고쳐먹었다. 아무리 지역신문이라고 해도 편집

장의 위치가 그렇게 쉬운 자리는 아닐 거라 짐작하며 서너 번의 당일 약속 연기에도 인내심을 발휘했다. 오늘의 생일자 같은 데면데면한 지인이었다면 벌써 번호를 삭제하고도 남았을 선배의 행동이었다. 리완의 이해심은 상황과 상대에 따라 고무줄처럼 길어지기도 짧아지기도 했다. 리완의 고무줄은 때로 한순간에 끊어지며 소리 없이 사라지기도 했지만, 턱없이 부족한 시간에 모든 사람에게 동일한 에너지를 쓸 여력이 없다고 합리화했다. 어쩌면 환멸의 나날들. 한준우 선배로 말할 것 같으면 리완이 대학 시절부터 선망하던 유일한 사람이자, 정답에 가까운 선배의 표본이었다. 약속을 잘 안 지키는 것만 빼면 말이다. 웃긴 건 리완이 가장 참기 힘들어하는 유형의 인간이 바로 약속을 잘 안 지키는 사람이라는 사실이다. 리완은 준우 선배와의 관계를 계속 이어가기 위해서 자신의 신념을 손바닥 뒤집듯 대수롭지 않게 변경했다.

리완은 퇴근 시간이 되기 전에 준우 선배에게 마지막으로 확인 전화를 걸었다. 오늘만큼은 당일 약속 파기를 절대 허용하지 않겠다는 굳은 의지의 행동이자 표현이었다.

'형, 오늘은 볼 수 있는 거죠?'

'어, 어, 그래. 미안하다. 오늘은 봐야지.'

'그래요. 형, 오늘은 저녁 꼭 먹어요. 내가 예약 미리 해 놨어.'

'그래? 메뉴는?'

'부대찌개 괜찮죠? 형, 칼칼한 국물 좋아하잖아. 거기 알 죠? 시장 안쪽 끝에 우리 맨날 가던 곳이요.'

'알지, 알지.'

'거기 방송 탄 다음에 가기 힘들어졌어요.'

'근데, 우리 리완 군이 기특하게도 예약해 놨았네. 잘했 어. 이따 보자고.'

리완은 저녁 예약 따위는 응당 후배가 해야 마땅한 배려 의 기본값이라는 듯이 매번 받아먹기만 하는 준우 선배의 얌체 같은 행동이 항상 거슬렸다. 그렇지만 리완은 준우 선배에게 정색하고 싶었던 수많은 순간을 잘 참아냈다. 한 순간의 패기로 힘겹게 쌓아올린 공든 관계를 무너뜨리는 참사를 겪고 싶지는 않았기 때문이다. 리완도 국물이 들어 간 음식이라면 환장했다. 부대찌개는 준우 선배와 리완 두 사람 모두 만족할 수 있는 최상의 메뉴였다. 다시 말해 준 우 선배를 위하는 것만이 아닌, 리완 자기 자신을 위한 것 이기도 했다. 리완은 동네에서 그럭저럭 괜찮은 맛집 수준 이었던 부대찌개 식당이 방송 출연을 계기로 전국에서 찾 아오는 맛집으로 순식간에 격상한 후 좀처럼 갈 수가 없었다. 기나긴 줄은 언제나 식당의 코너를 돌아 한참 늘어서는 수준이었으므로. 그런데, 얼마 전에 사장이 경영 방침을 전격적으로 바꾸자 리완에게도 기회가 찾아왔다. 사장은 하루에 소화할 수 있는 주문량의 반은 현장 줄서기, 반은 인터넷 예약제로 변경했다. 멀리서 오느라 줄을 설 수 없는 고객들의 성화에 사장이 기민하게 조처를 한 것이었다. 리완은 적절한 시기에 준우 선배와의 약속도 잡고 먹고 싶었던 음식으로 저녁을 해결할 수도 있다는 사실이 조금은 기뻤다.

삐빅.

리완이 아버지에게 물려받은 SUV. 도색이 다 벗겨져서 보기 민망한 수준이지만, 굳이 돈을 더 쓰고 싶진 않은 낡디낡은 차다. 수동 키를 리모컨 키로 바꾼 게 리완이 투자할 수 있는 최대치였다. 시동을 걸자 라디오가 자동으로 켜졌고, 평일 초저녁 시간대를 변함없이 책임지는 방송이 흘러나왔다. 디제이는 무려 20년째 같은 프로그램을 진행하고 있다. 디제이는 매일 비슷한 사연을 읽어주지만, 사연의 주인공은 매번 다르다. 적당히 비슷비슷하면서도 결국 다른 우리네 인간의 삶. 듣다 보니 오늘 사연은 여느 때와 다르게 어떻게 끝날지 전혀 예측 불가라서 결말이 유독

더 궁금했다. 시동을 켜고 차를 예열하며 라디오를 듣는
건 리완의 오래된 습관이었다. 그런데 갑자기 치지직 소리
가 나더니 사연을 읽는 디제이의 목소리가 뭉개졌다. 리완
은 곧바로 주파수를 조정하려고 애를 썼으나, 좀처럼 또렷
한 소리가 잡히지 않았다. 아니, 디제이의 목소리 위에 어
떤 다른 사람의 목소리가 겹쳐서 들리는 것 같았다. 그렇
게 두 사람의 목소리가 섞여 뭉개져버리는 듯하니 무슨 말
을 하는지 전혀 알아들을 수 없었다. 목소리의 톤만이 자
못 비장하게 들릴 뿐이었다.

"이거 왜 이래."

리완은 이런 순간이 찾아올 때면 가슴속 깊은 곳에 묵혀
놓은 짜증이 한 번에 밀려오는 듯했다. 화풀이하듯 라디오
박스를 두어 번 탁탁 쳤다. 여전히 소리는 뭉개진 그대로
였다. 리완은 금세 예민해졌다. 리완은 삶에서 전혀 중요
하지 않은 것에 온 신경이 다 집중될 때면 제어할 수 없는
또 다른 자아가 자기 육체에 기생하는 듯한 기분을 느꼈
다. 지난주 리완은 피규어에서 떨어져 나간 한쪽 팔의 행
방이 묘연하여 며칠째 방 이곳저곳을 찾아 헤맸다. 친환경
과는 거리가 먼, 품질이 약간 의심되는 3천 원짜리 싸구려
피규어였지만, 리완은 캐릭터와 디자인이 마음에 들어서

소중히 여겼다. 그러니 팔이 한쪽 떨어져 있는 어정쩡한 모습을 참을 수가 없었던 것이다. 리완은 황금 같은 토요일을 다 반납하고 방을 샅샅이 다 뒤진 끝에 결국 목표물을 찾아냈다. 책상 뒤편, 뽀얀 먼지 속에 볼품없이 떨어져 있던 빨간색 피규어의 팔을 찾고 나니 리완은 속이 다 시원해졌다. 그는 덕분에 몇 년 묵은 방을 대대적으로 정리했으니 시간 낭비는 아니야, 라고 무의식적으로 혼잣말했던 순간을 떠올렸다. 라디오 주파수가 안 잡히는 그 짧은 시간에 리완은 생각의 미로에 입장했던 것이다. 더 복잡한 다음 스테이지로 넘어가기 전에 빨리 탈출이 필요했다. 약속 장소로 이동하는 게 우선해야 할 일이다. 아예 라디오를 꺼버리고 운전을 시작했다.

리완의 직장에서 그리 멀지 않은 곳에 있는 오래된 부대찌개 맛집. 의외로 식당에서 약간만 멀어져도 주차할 데는 많았다. 항상 그래 왔듯이 익숙한 자리에 여유 있게 차를 대고 시동을 껐다. 사실 리완을 성가시게 한 어긋난 라디오 주파수는 준우 선배와의 약속에 비하면 급하게 처리해야 할 문제도, 중대한 문제도 아니었다. 리완에게 오늘 저녁 약속은 자꾸 빗나가는 여러 순간을 겨우 접합시켜서 만들어낸 작은 쾌거였다. 그는 심호흡을 크게 한 번 하고, 차에서 내려 상대적으로 짧은 편인 팔다리를 한껏 늘려 길고 양이처럼 능숙하게 스트레칭을 했다.

　예약석에는 이미 밑반찬이 세팅되어 있었다. 리완이 자리에 앉자마자, 서빙하는 아주머니가 기다렸다는 듯 신속하게 재료 일체를 내왔다. 유명 맛집은 회전율이 생명이라는 걸 모르는 사람은 없을 것이다. 약속한 듯 차례대로 절차가 진행된다. 별일이 없다면 준우 선배는 오늘도 평소처럼 늦게 올 것이다. 리완은 미리 약한 불로 부대찌개를 끓이기 시작했다. 적당한 열기가 가해지자, 식욕을 부르는 자극적인 냄새가 리완의 코를 간지럽히기 시작했다. 콧바람이 절로 났다. 대파, 양파, 느타리버섯, 두부, 햄, 소시지 등등. 보기 좋게 담겨 나온 재료들 사이에 작은 거품이 일었다.

　"여기, 소주 한 병 주세요. 아! 빨간 걸로요."

　리완은 복잡한 속을 깨끗하게 소독하는 기분으로 소주 한 잔을 따라 마셨다. 싸한 기운이 혈관을 따라 흘렀다. 가방에서 여자친구의 헌신이 가득 담긴 제품 2개를 꺼내 물끄러미 바라보았다. 여자친구가 정식으로 사업자를 내고 만든 첫 번째 제품은 탁월한 보습 효과를 내세운 천연비누. 그리고 그 뒤로 얼마 지나지 않아 출시한 제품은 재와 냄새를 동시에 잡아주는 차량용 재떨이였다. 비누는 그렇다 쳐도 담배를 피지 않는 여자친구가 어떤 계기로 재떨이를 기획했는지 리완은 그저 신기할 따름이었다. 잘 다니던 회사를 관두고 자꾸 뭘 만든다는 건지 그 속을 알 길이 없었으나, 여자친구와의 최근 6개월이 6년이 넘는 긴 연애의 시간 중에서 가장 밝게 빛났다는 걸 부인할 수가 없었다. 리완은 여자친구의 사업이 어떻게 진행될 지와는 무관하게 일단 그녀가 많이 웃는다면 그것만으로 충분한 가치가 있다고 믿었다. 물론 그녀가 사업의 성공과 실패의 갈림길 앞에 서 있을 때, 리완은 남자친구인 자신이 실질적으로 도울 수 있기를 간절하게 바랐다. 자존심도 내려놓고 준우 선배를 만나려는 데는 다 이유가 있었다.

틈만 나면 더 오래 보고 싶다는 말로 결혼에 대한 욕망을 드러내던 여자친구. 리완은 솔직히 자신이 없었다. 그렇다고 여자친구를 놓아줄 용기도 없었다. 비겁했다. 욕심이었다. 욕심인 걸 알았지만 리완은 종종 무심한 눈빛으로 모른 척했다. 그랬던 리완이 며칠 전 여자친구에게 결혼 얘기를 먼저 꺼냈던 것이다. 리완이 자신의 인생에서 결심다운 결심을 하고 말로 옮긴 극적인 순간이었다. 리완의 입에서 그런 말이 나올 거란 기대를 아예 접었던 여자친구의 눈은 금세 반짝였고, 잠시 후 물기가 차올랐다. 리완은 여자친구의 눈물에 당황했고, 더 미안해졌다. 어쨌거나 여자친구는 리완과 평생을 함께하고 싶어 했고, 리완 역시 그런 마음을 더는 외면할 수 없었다. 그렇게 리완을 진심

으로 사랑하는 여자친구가 개발한 천연비누와 재떨이. 기
묘한 조합의 두 제품을 보니 마음이 괜히 더 착잡해졌다.

"야야, 벌써 끓이면 어떻게 하냐!"

리완이 상념에 빠져 있을 때 그의 배려를 오히려 타박하
는 준우 선배의 목소리가 급하게 끼어들었다. 리완은 살짝
열받았다는 걸 은근히 표현하면서 준우 선배의 말에 대답
했다.

"형이 좀 일찍 오셨어야지."
"어쭈, 술도 먼저 깠네?"
"먼저 마실 수도 있지. 새삼스럽게."

준우 선배의 거들먹거리는 말투 역시 늘 거슬렸다. 선배
는 여전했다. 리완은 테이블 아래 플라스틱 의자 위에 꺼
내 놓았던 여자친구의 분신을 재빠르게 가방 속에 넣었다.
분주하게 손을 움직이면서도 준우 선배의 눈동자를 바라
보는 걸 잊지 않았다. 리완은 훈련된 움직임을 무난히 선
보였다. 그는 준우 선배가 자신의 짐을 내려놓는 틈을 타
정신을 똑바로 차리려고 고개를 세차게 흔들었다.

　리완은 준우 선배가 일하는 신문의 지방 소식 '화제의 인물'에 여자친구의 얘기를 넣는 게 목표였다. 목표 달성을 위해 참아야만 했다. 이제 겨우 시작에 불과한데 무너지면 안 된다고, 왜 이 자리를 마련했는지 잊지 말자, 라며 이를 악물었다. 준우 선배는 자리에 앉자마자 리완에게 한 잔을 받은 후 빈속에 소주를 거침없이 들이부었다. 그리고 본격적인 대화가, 아니, 연설이 곧 시작되었다. 선민의식에 물들어 있는 준우 선배의 말은 겸손을 가장한 정교한 교화의 성격을 지니고 있었다. 리완은 연신 고개를 끄덕였다. 리완은 선배의 생각에 동의하는 척 연기를 하지 않으면 그 말은 절대 끝이 나지 않는다는 걸 여러 차례 경험을 통해 익히 알고 있었다. 이번엔 계급 갈등을 다룬 영화에 대한 선배의 해석이었다. 선배의 말을 가만히 듣자 하니 결국 판 데로 벗어날 생각은 아예 하지 말고 자기 자리나 열심히 지키라는 말이었다. 그걸 지키지 않을 때 일어나는 비극이 얼마나 큰지 아느냐고 리완에게 공감을 강요했다. 한마디로 계급 탈선을 경고하는 영화일 뿐이라며 열변을 토했다. 리완은 점점 선배의 말에 반감을 숨기기가 어려웠다. 리완의 낯빛이 점점 검푸른 빛으로 어두워지고 표정 또한 일순간에 굳어졌다. 리완은 준우 선배와의 저녁 약속의 본래 목적을 잊고 말았다. 여자친구의 제품이 가방에 있다는 사실도 까맣게 잊은 채 선배에게 대들기 시작했다.

"근데 말이지, 형. 형도 결국 남들이 하란 대로 하지 않아서 지금 글밥 먹고 있는 거 아닌가?"

"뭐라고?"

"아니, 그렇잖아. 형도 자기 자리를 지켰으면 지금 철학 연구를 하고 있어야 하잖아. 아니야?"

"야, 내 말을 그렇게 꼬아서 해석하면 안 되지."

"안 되긴 뭐가 안 돼! 그 말이 그 말이지."

"쉬이이⋯⋯익!"

그때였다. 리완과 준우 선배의 눈빛이 정면으로 강하게 충돌해서 긴장감이 막 고조되고 있는 아슬아슬한 순간에 엄청난 속도로 공기를 가르는 듯한 굉음이 먼 곳에서부터 들려왔다. 그 소리는 여백을 두고 여러 차례 반복되었다. 인간이라면 인지할 수 있는 괴이한 소리와 여백의 주기가 점차 짧아졌다. 더군다나 분명했던 건 그 소리가 공격성을 내포하고 있었다는 것이다.

"⋯⋯."

"잠깐만! 이게 무슨 소리야?"

그들이 논쟁하다 말고 잠시 멈칫하는 순간, 반복된 날카로운 소리는 순식간에 리완의 귓가 바로 옆까지 빠르게 다가왔다. 정체를 알 수 없는 무언가가 준우 선배의 머리를 사선으로 빠르게 관통했다. 준우 선배가 눈앞에서 그대로 거꾸러지는 비현실적인 장면이 리완의 동공에 선명하게 맺혔다. 식당 안은 아수라장이 되었다. 준우 선배는 시작일 뿐이었다. 시끌벅적하던 많은 사람이 준우 선배처럼 픽픽 쓰러졌다. 리완은 귀를 막고 고개를 숙였다. 겁에 질린 리완의 아랫도리가 움찔움찔했다. 이 파국에서 벗어날 길이 없다는 게 자명해지자 리완은 식은땀을 비 오듯 흘렸다.

곧 그 소리는 예외 없이 리완을 사선으로 관통했다.

일상은 먹고, 자고, 걷고, 뛰고, 웃고, 울 수 있는 모든 자가 누릴 수 있는 것들 가운데 가장 저평가된 단어인 게 확실하다. 리완은 준우 선배와 엇비슷한 모양으로 거꾸러지는 찰나에 지난 주말 자신의 방을 청소하다 말고 여자친구에게 전화를 걸어 했던 말이 떠올랐다.

"자기야, 뭐 하고 있어? 어? 어…. 나? 나야 지금 방 정리하고 있지. 천천히 하고 있어. 나른한 게 아주 좋아."

난 불치병에 걸렸다.

현대의학이 아직 완전하게 고칠 수 없는 병. 최근 들어 피곤한 날이 자주 이어진다 싶었다. 점점 많아지는 나이에 따른 만성 피로 정도로 생각했었는데, 의외였다. 굳이 일이 몰리는 금요일에 반차를 쓰면서까지 방문한 종합병원 종양내과 진료실에서 의사는 내 안에 자라고 있는 암 덩어리가 선연하게 보이는 차트를 보며 말했다. 길어야 약 6개월 정도 남았다고. 심드렁하면서도 건조하기 짝이 없는 말투로. 내 인생의 종착 예정 시기를 알린 의사는 놀랍게도 무표정이었다. 그는 내가 걸린 암이 조금이나마 손을 쓸 수 있는 초기 발견 시기를 한참 넘긴 상태인 것도 모자라 예후가 통계적으로 매우 좋지 않은 편에 속한다는 상세한 설명을 덧붙였다.

설령 수술을 진행해도 최대 3, 4개월을 더 연명하는 정도에 그칠 거라는 말까지 했을 때였나. 나도 모르게 순간적으로 피식 웃음이 났다. 시한부 인생을 방금 선고받은 자로부터 비롯된 작은 웃음소리가 들리자 의사는 차트를 보다 말고 고개를 돌려 그제야 내 눈을 바라봤다. 웃음소리에 반응한 의사의 당황한 눈동자가 선명하게 느껴졌다. 눈을 마주치고 바로 앞에서 그 모습을 지켜보고 있자니 조금 더 긴 웃음이 비어져 나왔다. 웃음이 웃음을 불러왔다. 킥킥거리는 웃음소리가 이어지다가 고개가 뒤로 젖혀질 정도로 큰 웃음이 연달아 터졌다.

난 좀처럼 웃음을 멈추지 못했다. 그저 자기 일을 묵묵하게 처리할 뿐이라는 듯한 태도로 말을 건넸던 의사는 아연한 눈초리로 날 바라보며 자세를 고쳐 앉았다. 의사는 내 웃음소리가 잦아들 때까지 차트와 나를 번갈아 보면서 기다리는 눈치였다. 그는 적절한 말을 고르고 고르다 마침내 정했다는 듯이 결연하게 말했다.

"저기···. 네, 그러니까 뭐라 드릴 말씀이 없네요."

"뭘요? 제가 손쓸 수 없는 암에 걸렸다는 사실은 이미 말씀하셨잖아요. 중요한 말씀은 이미 다 하신 거 같은데? 진료하시다 보면 저 같은 경우도 흔하게 있는 거죠? 아닌가요? 의사 선생님, 이런 얘기 많이 하셨을 텐데 새삼스럽게 갑자기 왜 그러세요?"

이 상황과 영 안 어울리는 파안대소 끝에 나의 냉소적인 대답까지 이어지자 의사는 못 볼 걸 봤다는 듯이 당황한 표정을 보였다. 그 표정은 정말이지, 나만 봤다는 게 아쉬울 정도로 신선했다. 순간적으로 의사가 말을 잇지 못하는 모습이 흥미로웠다. 의사는 셀 수 없을 만큼 많은 환자를 경험했겠지만, 이런 태도를 보여준 사람은 내가 처음인 게 분명했다. 난 여유 넘치는 미소를 띤 채 계속 말을 이어갔다. 의사가 내게 시한부 환자라는 명백한 사실을 전달했을 때부터 이미 단전에서 끓어오르는 기쁨을 감출 수가 없었다. 괜히 웃음이 터져 나온 게 아니었다. 불치병과 웃음. 누군가에게는 기묘할 수 있는 이 조합이 난 무척 짜릿했다.

내 감정의 변화 폭이나 양상이 여느 타인들의 보편적인 감정과는 꽤 거리가 멀다는 사실은 이미 수년 전부터 알아차렸다. 중증 조울증은 비슷하면서도 다른 양상으로 지속되었다. 뭐라도 할 수 있을 것 같다는 강력한 의지가 찾아들면 기어코 찾아오는, 죽고 싶다는 감정. 그러면서도 겁이 나서 단 한 번도 생의 저편으로 넘어갈 시도조차 하지 못하고 전전긍긍할 뿐이었던 나의 무기력함. 솔직히 말해서,

지겨운 인생이었다.

스트레스와 공포에 파묻힐 수밖에 없는 극단적 선택을 할지 말지 망설일 필요가 없단 걸 알았으니 좋을 수밖에. 시간이 지나면 알아서 생명의 불꽃이 꺼진다는 건 나에게는 축복과도 같은 일이었다. 헛웃음이 아닌 진짜 기쁨의 웃음 앞에 난 비로소 알게 되었다. 내가 죽기를 염원한 것은 결코 거짓이 아니었다는 것을. 보통 사람들은 이해할 리가 없겠지. 아! 오해는 마시라. 생의 의지가 가득한 사람들을 모독하고 싶은 생각은 추호도 없으니까. 이런 감정이 드는 건 나와 비슷한 극소수에게만 해당하는 특별한 사례

일 테니. 내가 불치병을 인지하고 보이는 반응이 보편적인 태도가 아니라는 걸 충분히 이해한다. 단지 나처럼 느끼는 사람도 있는 것뿐이다. 불치병으로 마음의 평화를 얻고 기뻐하는 이 순수한 마음을 비난하지 않았으면 좋겠다. 그 어떤 누구라도 말이다.

의사에게 행복한 내 마음을 전달하며 정말 다행이라고, 너무 좋다는 식의 뉘앙스로 계속 말하니 의사는 내 말을 듣는 것이 더는 의미가 없다는 듯 한숨을 쉬며 말을 끊었다. 의사는 또 내 상태가 심각하다고 판단했는지 조심스럽게 정신과 상담을 권했다. 난 주저하지 않고 정말 괜찮다고 했다. 아무렇지 않다고 말했다. 그는 결국 포기했다는 듯 점차 통증이 심해질 거라는, 그다지 도움 안 되는 당연한 말을 덧붙인 후 강력한 진통제를 처방하는 것으로 상담을 끝냈다. 실상 나도 더 궁금한 건 없었다. 어차피 몇 개월 후면 이러나저러나 죽게 될 게 뻔한데 의사가 도움을 준답시고 자세하게 조언해도 어차피 귀에 들어오지 않았을 것이다. 쓸데없이 감정적으로 위로하는 듯한 말을 최대한 자제하는 게 바람직해 보였다. 처음엔 사무적인 태도의 의사를 조롱했으나 어쩌면 그런 태도로 담담하게 환자를 대하는 의사가, 나는 어쩌면 더 낫다고 여겼던 것 같다.

"그만 가보겠습니다. 안녕히 계세요."

"네, 안녕히 가세요."

감정이 깔끔하게 배제된 듯한 마지막 인사를 나눈 뒤 난 진료실에서 유유히 빠져나왔다. 진료실을 따라 길게 뻗은 복도를 느릿느릿 걷다 보니 내 시선에 멀게만 보였던 계단으로 내려가는 방향 안내판이 점점 가까워졌다. 안내판이 가리키는 우측으로 방향을 틀어 내려갔다. 보기와는 달리 꽤 가팔랐던 계단을 내려갈 때는 운동화에 푹신한 쿠션을 따로 넣은 듯한 착각이 들 정도였다. 발걸음조차 기쁨으로 충만한 내 마음처럼 가벼웠던 게 아닐까. 병원에서 완전히 벗어난 뒤 고개를 들어 하늘을 바라봤다. 구름이 거의 없는 파란 하늘이었다. 늦겨울의 차가운 공기를 힘껏 들이마셨다. 상쾌했다. 숨을 내쉬었다가 다시 더 크게 신선한 공기를 내 폐에 가득 채웠다. 조금 전 진료실에서 기쁜 소식을 듣고 너무 격하게 웃어서였을까. 심호흡을 천천히 하니 뻐근한 근육의 느낌이 뒤늦게나마 생생하게 인지되는 듯했다.

그래, 다른 누구도 아닌 바로 내가 죽는다.

내 인생의 마지막 장면을 보게 될 날이 얼마 남지 않았다는 뜻이다. 어차피 연명치료는 별로 내키지 않으므로 의사의 예상이 대략 맞는다면 길어야 반년에 불과하다. 어떤 일을 하는 게 가장 가치 있게 시간을 쓰는 것일까. 혹은 원없이 탕진하는 것일까. 골똘하게 내 생각을 염탐했다. 평소 먹지 못한 맛있고 독특한 음식을 먹는다거나 평생 가보지 못한 미지의 나라를 여행하는 것 따위의, 보통의 타인들이 추구할 만한 흔한 일은 별로 내키지 않았다. 그런 것들 따위보다는 좀 더 남다른 의미가 있어야 했다. 나에게도 남에게도 의미 있는, 그런 일 말이다. 무엇보다 되도록 빨리 실행할 수 있는 일이어야만 했다. 죽음에 가까워질수록 내 거동 자체가 불가능에 가까워질 테니 말이다.

집으로 가는 버스를 타기 위해 정류장에 서서 기다리고 있을 때 긴 벤치 끝자락에 노인이 앉아 있었다. 지난밤에 잠을 제대로 못 잤는지 꾸벅꾸벅 졸면서. 노인의 머리카락은 순도 높은 백발로 가벼운 바람에도 이리저리 휘날렸다. 평소 같았으면 자세히 보지 않고 그냥 지나칠 노인의 모습이 뭔가 측은하게 느껴졌다. 저렇게 의미 없이 시간을 낭비하느니 차라리 나처럼 한창 젊을 때 죽는 게 낫지 않을까? 무의식적으로 그런 의문을 품었다.

노인과 죽음을 떠올리며 내가 가장 먼저 마음먹은 건 회사를 그만둬야겠다는 것이었다. 당연한 선택에 가까웠다. 이런 상황에서 회사의 노예로 계속 일하는 건 상식적으로 말이 안 된다. 자본주의 아래서 내 삶의 대부분을 주로 타인의 이익을 위해 헌납했던 수없이 많은 날이 스쳐 지나갔다. 더는 그럴 필요가 없어진 것이다. 얼마 남지 않았기에 내 시간을 온전히 나를 위해 쓰는 게 훨씬 더 중요했다. 무기력한 노인의 모습을 본 후 난 바로 회사에 전화를 걸었다. 반차를 쓴 부하 직원이 아무런 예고도 없이 갑자기 더는 일을 할 수 없다는 말을, 직접 마주 본 상태도 아니고 전화로 하자 직속 상사는 내가 실없는 농담이나 하는 줄로 안 모양이었다. 목소리를 가다듬고 다시 힘주어 말했다. 내 의사 표현은 더없이 진지했다.

'저, 회사에 계속 다니기 어려울 것 같습니다.'

'갑자기 왜 그러는데? 솔직하게 말해봐.'

'정말 개인적인 일이고요. 이미 결정했습니다. 다음 주 화요일쯤 짐 정리하러 가겠습니다.'

'결정했다고?'

'네. 이미 결정했습니다.'

'자네, 지금 나한테 통보하는 건가?'

'음…. 결정한 사실을 솔직하고 신속하게 말씀드리는 것뿐입니다.'

'그게 바로 통보야. 그것도 아주 일방적인. 당신 말이야. 이런 식으로 무책임하게 그만두면 다른 데 이직도 어렵다는 거 알아둬. 이 바닥 좁다.'

'네, 당분간은 좀 쉴 예정입니다.'

'그리고, 혹시나 하는 말인데 실업급여는 꿈도 꾸지 마.

어디까지나 당신이 먼저 그만둔다고 했으니까.'

'네, 그것도 이미 잘 알고 있습니다.'

그래, 당연히 안다. 알고 있는 사실이다. 솔직히 말해 상사의 말이 전적으로 맞다. 하나 틀린 게 없었다. 그에겐 분명 내 전화가 몰상식한 의사 전달로 느껴졌을 것이다. 그런데 중요한 건 내 상황이 병원을 다녀온 기점으로 평범함과는 거리가 아주 멀어졌다는 것이다. 상상력의 폭이 좁은 상사의 고루하기 짝이 없는 협박은 나에게 아무런 타격을 주지 못했다. 불치병에 걸린 나는 앞으로 일을 못 한다는게, 돈을 벌지 못한다는 게 중요치 않았으므로. 그동안 저축해둔 돈만 해도 남은 시간 동안 충분히 쓸 수 있다.

서운한 건 따로 있었다. 퇴사가 내 예측보다 너무 쉽게 끝난 것이다. 허탈했다. 평소 난 주어진 업무를 능숙하게 처리하는 편이라서 회사에 꼭 필요한 인재라고 여겼는데, 이렇게 쉽게 놔준다고? 내 가치가 고작 이 정도였다는 걸 확인하는 것은 그다지 기분 좋은 경험은 아니었다. 뒷맛이 개운치 않았다.

전화를 끊고 몇 분 지나지 않아서 기다리던 버스가 도착했다. 여전히 꾸벅꾸벅 졸고 있는 백발노인을 뒤로하고 차례대로 탑승을 기다리고 있었는데 내 또래로 보이는 남자한 명이 막무가내로 '죄송합니다.'라고 말하며 내 앞쪽 틈을 비집고 들어왔다. 명백한 새치기였다. 줄이 긴 것도 아니었고, 막차를 앞두고 있던 것도 아니고, 번잡한 출근 시간대도 아니었는데 말이다. 아무리 생각해봐도 주위 사람들의 따가운 눈총을 받으며 할 필요가 없는 새치기였다. 이해할 수 없었다. 질서를 지키고 있던 남은 사람들은 너무 갑작스레 일어난 일이라서 그랬는지 남자의 무례한 행동에 대해서 누구 하나 목소리를 내지 않았다. 다들 지쳐 보였다. 말을 한다면 내가 해야 했던 게 맞긴 하다. 바로 내 눈앞에서 그런 일이 일어났으니. 홧김에 입을 열려다 그대로 멈췄다. 이 상황을 교정한다 한들 괜한 신경전에 피곤해지기만 할 것 같아서 내버려두었다. 싸워봤자 무슨 소용인가 싶었다. 결국 남자에 이어 버스에 올라탔다. 남자는 맨 뒷자석을 향해 빠르게 걸음을 옮겼다. 나 역시 버스 중간쯤에 있는 빈자리에 앉았고, 무의식이 이끄는 대로 뒤를 힐끗힐끗 돌아보며 그 남자의 행동을 살폈다. 자리에 앉은 남자는 곧 자신의 스마트폰에 시선을 깊이 빼앗겼다. 조금 전 새치기했던 게 무색할 만큼 여유로운 표정이었다. 절박한 이유도 없이 새치기를 감행한 남자는 태연하게 자기 세계에 몰입한 것처럼 보였다. 그래, 맞다. 세상이라는 게 원래 이렇게 생겨 먹은 거였다. 타인을 전혀 배려하지 않은 채 살아가는 인간들과 부대껴야 하는 곳.

　인간의 생각이라는 건 또 얼마나 극과 극을 오가는가.

곧 죽음을 맞이하게 될 내가 하면 딱 좋을 일이 불쑥 떠올랐다. 그건 바로 살인. 내가 아닌 사람을 죽이는 일. 타인의 생명을 앗아가는 일. 사람을 죽이고 싶은 마음이 슬며시 찾아왔다. 내가 불치병이라는 걸 알기 전엔 구체적으로 해본 적이 없는 생각이었다. 누군가를 무한정 미워한 적은 수십 차례 있었다고 해도 과언이 아니다. 그렇지만 누군가를 죽이고 싶은 마음이 들었던 적은 추호도 없었다. 그 정도로 난 지극히 평범하고 소극적인 인간이었다. 아니, 가만히 보자. 그런 생각을 한 적이 있었던가. 아주 오래전 내가 어린아이였을 때, 순진무구했던 그 시절에 그런 생각을 품은 적도 있던 것 같았다. 그런데 그게 중요한 게 아니었다. 새치기한 남자로 인해 무언가에 이끌리듯 갑자기 발생한 '살의'가 내 진심이 되어버렸다는 것, 단지 그 사실이 중요했다.

그렇다면 누구를 죽일 것인가. 누구를 죽이면 잘 죽였다고 소문이 날까. 어떤 이가 되더라도 나보다 먼저 생을 마감하기에 적합한 사람이기를 바랐다. 내가 그런 풍문을 오래도록 즐길 수는 없겠지만 그저 이후의 상황을 떠올리기만 해도 적잖게 흥분이 따라오는 듯했다. 기왕이면 '불치병에 걸린 의로운 살인자!'라는 소리를 듣는다면 더할 나위 없이 좋을 것이다. 의미 있는 살인이야말로 내가 죽기 전에 할 수 있는, 가장 가치 있는 일이라고 거침없이 정했

다. 그렇게 일사천리로 결정하고 나니 뭔가 마음 자체가
신이 나서 꿈틀거리는 것 같았다. 나는 곧 살인자가 될 것
이다. 상상하는 것에 그치지 않을 것이다. 불치병은 내가
정한 운명이 아니지만, 살인은 내가 정한 운명이다.

—

"있잖아. 나 살인자가 되기로 결심했어."

"갑자기 무슨 뚱딴지같은 소리야?"

"사람을 죽일 거라고. 드디어 나에게도 꿈 비슷한 게 생
긴 거지."

"미쳤니? 뭐 잘못 먹었어?"

"아니, 나 진지해."

"그러니까 진지하게 너 뭐 잘못 먹었냐고. 무섭게 왜 이
상한 소리를 하고 그래?"

병원에 다녀온 후 여자친구 미현을 만났다. 그녀의 집
근처, 우리가 자주 갔던 카페에서 미현에게 내 소망을 내
비치자 얼추 예상한 말이 돌아왔다. 미현과 만난 지는 어
느덧 500일을 넘겼다. 서로의 취향, 습관, 가치관 등에 대
해서 충분히 알 만큼 시간이 흘렀다는 뜻이었다. 게다가
불치병이라는 사실을 밝히지 않고 향후 계획을 말했으니

지극히 예상한 반응을 보여준 셈이다. 미현은 내가 진지하게 살인을 고려하고 있다는 사실을 전혀 눈치채지 못했다. 사실 그럴 만도 했다. 난 공격 본능이 거의 없는 사람이었다. 갈등이 생기면 웬만하면 맞닥뜨리기보다는 피하기 바빴으며 꼭 하고 넘어가야 할 말도 속으로 삼키곤 했다. 그래서 미현은 나를 종종 답답해했다. 그녀는 평소에도 내게 너무 소심한 성격이 문제라면서 제발 좀 대범해지라는 말을 습관처럼 건넸다. 미현은 나의 꿈을 꿈에도 상상하지 못하는 걸까. 정작 지나치게 대범해져서 살인자가 되려고 하니까 진지하게 받아들이지 못하는 것이었다. 진지하게 바라보긴커녕 왜 이렇게 핀잔을 주는 건지 싶기도 했다.

"그래서 말인데, 미현아. 누구를 죽이면 좋을까? 네가 정해줄래?"

"여자친구한테 하는 말이. 쯧쯧."

"진짜야. 네가 딱 정하면 내가 대신 죽여줄게. 나 자신 있다니까."

"아이고, 바퀴벌레 한 마리도 제대로 못 죽이는 당신이 사람을요? 퍽이나."

바퀴벌레를 못 죽인다고 해서 사람을 못 죽인다는 법은 없다. 미현은 끝내 내 진의를 파악하지 못했다. 너라는 인

간이 설마, 라고 가볍게 여겼을 것이다. 그녀는 농담으로
라도 그런 말은 하지 말라며 누구를 죽일지 지목하지 않았
다. 미현에게 가볍게 말하려는 의도는 없었는데, 그동안의
내 모습과 너무 달라서였는지 농담처럼 느낀 듯싶었다. 말
을 이어가다 보니 미현에게 내 의중을 내비치는 게 괜찮은
걸까 슬며시 걱정되기도 했지만, 한 명쯤은 알고 있는 것
도 나쁘지 않다고 합리화하며 잡념을 가다듬었다. 미현은
아마도 그 일이 일어난 뒤에야 아차 싶겠지. 어쨌거나 모
든 일이 다 끝나고 미현이 내 살인 의지가 진지했다는 걸
뒤늦게 파악해도 큰 문제가 되지 않을 것이다. 대신 미현
에게 내가 불치병이라는 사실은 끝까지 말하지 않았다. 그
동안 만난 정을 헤아려보면 살인 계획보다는 불치병 판정
이라는 최소한의 사실 정도는 말해주는 게 옳다. 그런데
난 그렇게 하지 않았다. 살인 계획을 밝히는 것보다 남자
친구의 불치병을 담담하게 말하는 게 그녀에게 더 잔인할
수도 있겠다는 생각이 들어서였다. 어차피 가족에게도 내
가 불치병에 걸렸다는 사실은 말하지 않을 것이다. 지극히
개인적인 가치 판단 기준이지만, 확고했다. 내가 어느 날
갑자기 세상에서 사라진다면 좀 놀라긴 하겠지. 조금은 슬
퍼도 하겠지. 그래도 상관없었다. 불치병에 걸려서 좋은
점이 또 하나 있다면 남보다 내 자신에게 좀 더 집중하게
되는 것이었다. 철저하게 내 입장에 서서 어떤 말을 할지

말지 결정했다. 전보다 이기적으로 변한 내 자신이 은근히
마음에 들었다. 진작 이랬어야 하는데.

　회사를 그만둔 후 웬만하면 집 밖에 나가지 않았다. 일
을 관둔 것 역시 가까운 사람들에게조차 비밀로 했다. 내
행동반경만 신경 써서 조절하면 충분했다. 타인에게 큰 관
심이 없는 요즘 세상에 이 정도 크기의 비밀을 지키는 건
그다지 어렵지 않았다. 20대 후반부터 난 가족과 떨어져
혼자 살아왔다. 혼자 산다는 건 나만의 공간이 있다는 것.
그런 은밀한 공간에서 내 결심이 확고한 것인지, 혹시 일
시적인 것은 아닌지 계속 점검했다. 난 정말 누군가를 죽
이고 싶은 걸까. 살인에 대한 충동이 일시적으로 발현된
것은 아니었을까. 살인에 대한 갈망이 옅어지기라도 한다
면 그다음에는 어떤 욕망으로 내 남은 시간을 채워야 할까
전전긍긍하기도 했다. 그러나 걱정과 달리 버스 안에서 날
집어삼킨 공격성이 가득한 마음은 쉽사리 사그라지지 않
았다. 내 운명의 일부가 정해진 바로 그날, 내 앞에 나타난
위험한 욕망은 꽤 견고한 편에 속했다. 살인하고 싶은 원
초적인 본능을 더는 의심할 필요가 없었다. 대신 누굴 죽
일지 정하지 못한 채 방황하는 날들이 계속 이어졌다. 일
주일 정도 흘렀을까. 이 사람이다, 싶은 누군가가 좀처럼
떠오르지 않았다. 아무리 급해도 아무나 골라서 죽일 수는

없는 노릇이었다. 목적을 정확하게 설명할 수 없는, 이유 없는 살인을 저지르고 싶지 않았다. 가만히 지난날을 돌아보니 특히 난 뉴스에서 보도되는 '묻지마 살인'에 아주 격한 거부 반응을 보였던 것으로 기억한다. 묻지마 살인이야말로 무가치함과 비인간성의 끝이라고 여기곤 했다. 그런 내가 묻지마 살인의 당사자가 되고 싶지는 않았다. 내가 타인의 생명을 앗아가는 그 역사적인 순간에 후회하지 않을 사람이어야만 했다. '삶은 속도가 아니라 방향'이라는 말은 살인에도 마찬가지로 비슷하게 적용할 수 있어서 유용하다. 아무나 빨리 죽이는 게 중요한 게 아니라 어떤 이를 죽이는가가 더 중요했다.

계속 고민하는 가운데 자연스럽게 알게 된 사실도 있었다. 살인하기로 마음을 먹으니 기왕이면 반드시 현실로 만들고야 말겠다는 의지가 굳건해졌다. 그래서 내가 저지를 살인은 비교적 쉬워야만 했다. 여자친구 말마따나 바퀴벌레 하나 죽이지 못했던 내가 갑자기 사람을 죽이려고 한다면 살인의 난이도가 필요 이상으로 높아서는 안 되는 것이다. 경계가 삼엄한 유명인들, 이를테면 연예인, 인플루언서, 정치인 등은 눈물을 머금고 제외할 수밖에 없었다. 영향력이 있는 자를 살해한다면 큰 이슈 몰이가 되어 갑론을박 여론이 갈라지기도 하고 운이 좋으면 이리저리 휩쓸리는 무정한 대중들로부터 동정심을 얻기에 상대적으로 유리하겠지만, 성공 확률이 그리 높지 않다는 게 가장 큰 문제였다. 살인 그 자체의 실패 확률을 줄이려면 더없이 냉정해질 필요가 있었다. 연락해서 쉽게 만날 수 있고, 약속을 잡으려고 할 때 별다른 경계심을 품지 않아야 했다. 한마디로 면식범이 되어야만 했다. 평소 알고 지내는 사람, 남들이 보기에 보통이라는 범주에 들어갈 수 있는 평범한 사람을 죽이는 게 훨씬 더 성공에 가까워질 수 있지 않을까. 살인에 대한 여러 가능성을 정리해 나가면서 점점 차분해지는 내 모습은 영락없는 예비 살인자였다.

핸드폰에 저장된 700여 개의 전화번호를 천천히 살펴봤다. 한번 저장하면 좀처럼 지우지 않는 버릇 때문에 차곡차곡 쌓인 번호들. 평범했던 전화번호 목록이 새롭게 추가된 목적에 따라 데스노트에 쓰일 이름들의 후보 리스트가 된 것 같았다. 그렇지, 데스노트. 오랫동안 영화를 봐온 사람이라면 모를 리가 없는 데스노트라는 단어가 떠오르자마자 평소 들고 다니는 백팩 형태의 가방에서 다이어리를 꺼냈다. 책상 가운데에 핸드폰과 다이어리를 나란히 놓았다. 다이어리는 항상 가지고 다녔지만, 기록이 서투른 난 그제야 다이어리의 진짜 쓸모를 깨달은 것만 같았다. 핸드폰의 연락처를 위아래로 스크롤하며 이름 하나하나를 유심히 살피며 후보가 될 만한 사람들의 이름을 고르려 했는데, 무척 놀랐다. 그 많은 번호 중에서 못해도 절반 이상은 누군지 가늠이 되지 않을 정도로 기억이 잘 나지 않는 것이었다. 내 핸드폰에 곱게 저장되어 있으면서도 거의 단절된, 쓸모없는 관계. 내 기억력이 문제인지 쓸데없이 아무 전화번호나 거리낌 없이 저장해왔던 것이 문제인지 순간 헷갈렸으나 이내 차라리 잘 됐다고 여겼다. 유의미한 후보군의 폭을 과감하게 확 줄일 수 있으니까. 핸드폰 화면을 살펴보는 속도를 늦추며 더 자세하게 보니, 내가 희미하게나마 알고 있는 이름과 선명하게 기억하는 이름이 동시다발로 내 시선에 들어왔다. 지금은 연락을 잘 하지 않는 옛 친구들과 최근까지도 사소한 것까지 안부를 나누는 극소수 친구들의 이름, 전 여자친구 몇 명과 현 여자친구의 이름, 은근하게 날 따돌렸던 전 직장 상사와 이를 방관했던 동료들과 후배들의 이름, 그중에서도 무엇보다 마음에 비수를 꽂는 말을 아무렇지 않게 한 이들의 잊히지 않는 이름까지. 내게 상처를 줬던 적이 조금이라도 있는 자라면 거침없이 다이어리에 이름과 전화번호를 옮겨 적었다.

처음에는 단순하게 적어 나가는 행위를 반복하는 그 자체만으로 흥분되었다. 그러나 리스트의 마지막에 가까워질수록 급격하게 기분이 가라앉았다. 근본적인 문제가 있었다. 압도적인 한 사람이 떠오르지 않는 것이었다. 다 고만고만했다. 더군다나 난 의로운 살인자, 이유 있는 살인자가 되고 싶었는데 데스노트에 옮겨 적은 이들 중 어떤 자를 죽이더라도 개인적인 원한에 의한 살인에 그치고 말 것이었다. 곰곰이 헤아려보니 그건 아무래도 내가 원하는 형태의 살인이 아니었다. 면식범이라는 전략 역시 다시 수정해야만 했다. 다시 처음으로 돌아갈 수밖에 없었다. 착잡한 마음이 나를 잠식했다.

미현에게서 평소처럼 종종 연락이 왔다. 이젠 다니지 않는 회사가 바쁘다는 핑계를 대며 거짓말을 했다. 만나는 것을 나중으로 미루고 미뤘다. 섭섭하다고 말해도 어쩔 도리가 없다. 여자친구와 만나서 알콩달콩 데이트하고 있을 때가 아니었으니까. 가까운 친구 몇 명도 술 한잔하고 싶다면서 자꾸 재촉했다. 친구들과의 약속 역시 당장 급한 게 아니었다. 내 일생에서 가장 극적인 순간을 앞두고 있었으니까. 그런데 아직 그 대상조차 정해지지 않았다는 사실이 날 괴롭게 했다. 누군가와 긴밀하게 상의해서 시원하게 정할 수 있는 성질의 고민도 아니라서 머리가 지끈지끈 더 아팠다. 두통약을 두 알씩 삼켰다. 이렇게 고민만 하다가 무의미하게 시간이 계속 흘러갈까 봐 초조해졌다. 그나마 다행인 건 아직은 의사가 처방해준 진통제를 본격적으로 먹을 때가 아니라는 사실이었다. 위안이 되었다.

가만히 누워 천장을 바라봤다. 문득 오래전에 인상적으로 봤던 드라마가 떠올랐다. 더 정확하게 말해서 그 드라마의 마지막 장면이 머릿속에 그려졌다. 잊히지 않는 강렬한 이미지. 그 드라마가 왜 갑자기 떠올랐는지는 알 길이 없었다. 마지막 장면이 떠오르니 자연스럽게 드라마의 전반적인 내용이 어렴풋이 기억났다. 가해자들이 피해자를 심하게 괴롭히는 것뿐만 아니라 가해자들과 가해자의 부모들 역시 절대 반성하지 않는다. 심지어 피해자는 극단적 선택을 하는 것처럼 암시하며 끝나는 아주 우울한 내용이었다. 그 드라마가 더 충격이었던 것은 실화를 바탕으로 했다는 것과 실제 사건의 전말은 드라마보다 더 수위가 높았다는 것이었다. 맞다. 드라마는 현실을 따라잡지 못한다. 대체로 현실이 더 잔인하다. 온라인의 대형 커뮤니티 여러 곳에서 그 당시 함께 화제가 되었던 게시물이 떠올랐다. 나를 여러 날 무척 침울하게 만들었던 것으로 기억한다. 가해자를 옹호하는 글을 올려서 논란이 되었던 가해자들의 친구 중 한 명이 경찰로 근무하고 있는 것도 모자라 무려 우수 경찰로 표창을 받았다. 여경이었던 그녀의 원래 이름은 권소희, 개명한 이름은 권은미였다. 권선징악은 흘러간 옛말이라는 걸 처절하게 확인했던 순간이 확 다가왔다.

정신을 차리고 자리에서 일어나 노트북을 열었다. 드라마 제목을 검색하자 실제 사건이 연관 검색어로 떴고, 내가 기억하는 그 게시물의 주인공. 아무런 반성 없이 가해자들을 옹호한 경찰의 최신 근황이라는 몇 년 전 게시물도 쉽게 찾을 수 있었다. 정신적, 육체적 고통의 굴레에서 벗어나지 못하고 있는 피해자의 현 상황과는 달리 가해자의 친구는 너무나 무탈하게 잘 살고 있다는 글이었다. 심지어 승진을 거듭하며 현재까지도 경찰로 근무하고 있다는 사실 또한 알게 되었다. 혹시나 해서 권은미가 근무했던 것으로 추정되는 경찰서 홈페이지에 접속해 보니 아니나 다를까 칭찬합시다, 라는 게시판에는 여전히 권은미를 비판하는 글로 거의 도배가 되어 있었다. 놀랍게도 가장 최신 글은 불과 엊그제 올라왔었다. 여전히 많은 이가 공분하고 있었고, 잊지 않았다. 그러거나 말거나 경찰서 측은 어떠한 반응도 없었다. 묵묵부답이었다. 비로소 난 머리가 맑아지는 기분이었다. 드라마로도 만들어진 그 실화는 상대적으로 수위가 낮지만, 실은 나의 학창 시절과도 연관이 있었다. 나를 괴롭혔던 그들에게 직접적인 복수를 하는 것보다 사회적으로 알려진 이 사건에 관여하는 게 훨씬 낫다고 생각했다. 드디어 내가 죽여야 할 사람을 정한 것이다. 돌고 돌아 유명인과 일반인의 중간 어딘가쯤 있는 그런 사람을 고른 것이다. 골머리를 앓으며 신중하게 고민한 보람이 있었다.

—

미령시는 몰락하는 지방의 소도시였다. 이런 일이 아니었다면 아마 난 평생 미령시에 올 일이 없었을지도 모른다. 시외버스로 거의 3시간이 넘게 걸렸다. 무척 멀었다. 그래도 난 개의치 않았다. 그저 내가 개척한 운명 앞으로 조금씩 다가갈 뿐이었다. 개인 정보를 검색하는 게 누워서 떡 먹기보다 쉬워진 시대에 권은미가 근무하고 있는 곳을 찾는 것은 식은 죽 먹기였다. 인터넷에서 클릭 몇 번이면 충분했다. 권은미가 근무하는 파출소는 시외버스 터미널에서 그리 멀지 않았다. 길 찾기로 검색해 보니 빨리 걸으면 30분이 조금 안 되게 걸리는 정도. 운동 삼아 걷기에 딱 좋은 거리였다. 몸을 풀었다. 동네 마트에서 산 주방용 식칼이 백팩에 아무렇지 않게 들어 있었다. 칼의 존재를 인지하니까 그제야 조금 떨리는 것도 같았다. 나는 바퀴벌레 한 마리도 죽이지 못한 샌님이었다는 사실이 새삼스레 다가왔다. 막상 결전의 순간이 다가오니 시뮬레이션했던 게 아무 소용이 없었다.

걸음을 늦추며 내가 하려는 일의 가치에 대해서 되새김질했다. 이건 어쩌면 사적인 복수 대행일 수 있다. 권은미가 죽어도 피해자가 행복해지리란 보장은 없다. 악질적인 다수의 공범 역시 여전히 잘 살고 있다. 합당한 처벌을 받았다는 소문은 어디에서도 들어본 적이 없다. 이 살인이 어떤 반향을 일으킬 수 있을까. 괜히 자신이 없어지니까 이런저런 핑계를 만들어내는 것 같은 나 스스로가 초라하게 느껴졌다. 다시 마음을 다잡았다. 이 먼 곳까지 괜히 내려온 게 아니라는 걸 누구보다 잘 알잖나.

내가 권은미를 어떻게 죽일 것인지 방법은 두 가지 정도였다. 단순 민원인인 것처럼 파출소에 들어가서 권은미라는 명찰을 확인하자마자 그대로 달려가 목에 칼을 꽂는 것 하나. 권은미가 퇴근할 때까지 기다리다가 뒤따라가서 이름을 부르고 그녀가 뒤돌아보면 내 가슴에 품은 칼을 꺼내 복부를 찌르는 것 하나. 아무래도 이번 생에 처음 하게 될 경험인지라 두 방법 모두 허술하기 짝이 없었다. 그렇지만, 이상하게 실패할 것 같다는 느낌은 들지 않았다. 살다 보면 그냥 그렇게 될 것 같은 일이 있다. 난 자신 있었다. 설마, 하는 틈을 노린다면 충분히 가능할 것이라고 믿었다.

그렇게 생각을 정리하며 파출소 근처에 다다른 난 주위를 둘러보다 시민을 위해 마련된 것으로 보이는 벤치에 우선 앉았다. 오후 3시가 조금 넘은 시간이었다. 자연스럽게 하자. 자연스럽게. 이상한 사람으로 보이지 않으려고 애를 썼다. 단순 여행객인 것처럼 행동했다. 백팩을 옆자리에 두었고 곧 가져온 책을 꺼내서 읽었다. 내용은 전혀 눈에 들어오지 않았다. 이 상황에서 아무렇지 않게 책 내용을 흡수할 수 있다면 말이 안 되겠지. 나의 시선은 틈틈이 파

출소에 머물렀고, 어떤 방법으로 권은미를 처단할까 계속
오락가락했다. 시간은 금세 흘러 해가 뉘엿뉘엿 저물었고
난 비로소 자리에서 일어나 엉덩이를 탁탁 털었다. 손에
힘이 들어갔다. 더 망설이다가는 아무것도 못 하리라. 고
민 끝에 첫 번째 방법을 실행하기로 마음먹었다. 주섬주섬
짐을 챙겨 자리에서 벗어나려다 아차 싶어 다시 백팩을 내
려놓았다. 백팩을 열자 신문지에 싸여있던 칼이 눈에 들어
왔다. 신문을 펼쳐 칼을 꺼냈고 누가 볼세라 곧바로 가슴
에 품었다. 오랜 시간 가방에 넣어 두었던 식칼의 차가운
느낌이 피부에 고스란히 전해졌다. 이 느낌은 이제 곧 권
은미가 더 짜릿하게 느낄 참이었다. 우습게도 오늘 권은미
가 비번이라면 어떻게 할지 따로 다른 방법을 생각해놓지
는 않았다. 그저 파출소 안에 권은미가 있을 것 같았다. 내
가 살인하게 될 거라는 자기 암시만 반복했다. 할 수 있다.
죽일 수 있다. 할 수 있다. 죽일 수 있다. 그렇게 반복적으
로 되뇌며 파출소 문을 열고 안으로 들어갔다. 허공에 대
고 방금 준비한 말을 태연하게 꺼냈다.

 "혹시 여기 분실물 신고할 수 있을까요?"
 "네, 안내 도와드리겠습니다. 습득하신 물건이 뭘까요?"
 "책인데요. 이 근처 벤치에서 주웠거든요. 깜빡하시고
놓고 간 것 같아요."

"아, 그렇군요. 책은 거의 찾아가지 않는 물품이긴 한데요. 일단 접수해 드리겠습니다."

"네, 감사합니다."

벤치에서 줄곧 읽었으나, 뭔 내용인지 전혀 알 수 없는 책을 마치 주운 것처럼 신고하면서 난 파출소 안에 있는 모두를 바삐 훑었다. 나와 대화를 나눈 경찰을 포함하여 남자 3명, 여자 1명이었다. 교대근무를 할 수도 있지만 어쨌든 여자는 1명이었다. 남자 경찰이 내가 갖고 온 책을 분실물로 접수하는 동안 나는 아무렇지 않게 파출소 안을 구경하는 것처럼 천천히 발걸음을 옮겼다. 단 한명뿐인 여자 경찰의 명찰을 확인하는 게 급선무였다. 식은땀이 흘렀다. 가까이 다가갔지만, 명찰이 잘 보이지 않았다. 여경의 키가 그리 크지 않아서 컴퓨터 모니터에 상반신이 거의 다 가려지는 수준이었다. 그러나 이대로 포기할 수 없었다. 옆으로 조금 움직이자 내 시선에 명찰이 완전하게 들어왔다. 이름을 온전히 확인할 수 있었다.

권은미.

내가 그토록 바랐던 이름이 바로 거기 있었다. 침이 바짝 말랐다. 이제 진짜 실행하는 것이다. 사람을 죽이는 것이다. 그렇게 마음먹은 순간 남자 경찰이 말했다.

"저기요. 가져오신 책 분실물로 접수됐습니다. 이제 돌아가셔도 됩니다. 감사합니다."

"아, 간단하군요. 그럼, 이만 가보겠습니다. 수고하세요."

접수를 도와준 경찰에게 인사를 한 뒤 그대로 돌아서 파출소 문을 열었다. 문이 앞뒤로 움직이다가 멈추었다. 고요했다. 이대로 가면 아무 일도 일어나지 않을 것이다. 순간 망설였지만, 이런 기회를 놓칠 수는 없었다. 숨을 한 번고른 뒤 점퍼의 지퍼를 열어 가슴 근처에 있던 칼을 꽉 움켜쥐었다. 다시 파출소 문을 열고 들어가면서 가슴에서 칼을 빼 들고 곧장 권은미에게 달려갔다. 내가 상상 속에서 수십 차례 찔렀던 권은미의 목과 쇄골 사이를 겨냥했다. 그녀의 가느다란 목에 정확하게 칼을 꽂아 넣었다. 성공이었다. 생각보다 칼이 쉽게 쑥 들어가서 나도 순간 움찔하면서 무척 놀랐다. 칼을 그대로 빼자 피가 콸콸 흘러나왔다. 영화나 드라마 속에서나 보던 비현실적인 장면이 내 눈앞에 현실로 화려하게 펼쳐졌다. 권은미는 내가 누군지 몰랐을 것이다. 상상하지 못했을 것이다. 방심할 수밖에 없었을 것이다. 평화로운 일상에서 이런 일이 자신에게 일어날 줄은 몰랐을 것이다. 권은미는 아픔, 놀라움, 원망이 뒤섞인 눈빛으로 나를 계속 노려봤다. 피를 철철 쏟으면서도. 난 그녀의 눈을 피하지 않았다. 옆에서 우두커니 서 있던 남자 경찰들은 권은미가 이미 치명상을 입은 이후에 나에게 달려들었다. 늦어도 한참 늦은 것이었다. 난 드디어 살인자가 되었다. 이렇게 쉽게 살인자가 될 줄은 나도 전혀 몰랐다.

나는 현장에서 경찰 살인 현행범으로 체포되었다. 어떤 반항도 하지 않고 순순히 제압당했다. 나는 그 순간 묘한 안도감을 느꼈다. 행복이라는 게 바로 이런 게 아닐까 싶은, 나른하면서도 몽롱한 기분에 취했다. 고래고래 소리를 질렀던 경찰, 피를 계속 쏟으며 숨을 헐떡였던 권은미, 모든 게 꿈만 같았다. 꿈 같은 이 일로 인해 비록 내 인생은 장렬하게 끝나겠지만, 피해자의 한이 조금이라도 풀리길 바랄 뿐이었다. 그게 내가 바라는 전부였다. 난 그대로 눈을 감았다. 차가운 수갑이 조금 아팠긴 해도 못 견딜 정도는 아니었다. 피해자의 기나긴 고통에 비하면 이깟 통증쯤이야. 갑자기 궁금해졌다. 난 어떤 살인자로 사람들에게 기억될 수 있을까. 내가 욕망한 그대로 의로운 살인자라는 말을 들을 수 있을까. 사람이 사람을 죽이는 게 윤리적으로 옳지 못한 일이라는 것쯤은 나도 알고 있다. 그렇지만, 세상은 그렇게 매번 올바른 방향으로만 돌아가지 않는다. 내가 권은미를 죽인 바로 오늘도 전 세계에서 살인이 발생하고 있었을 것이다. 그 수많은 살인 중에 나 하나쯤 더하는 게 뭐가 그리 대수일까 싶었다. 난 어차피 죽는다. 죽어 마땅한 사람을 한 명 더 데리고 가는 것뿐이다. 그런데, 행복으로 충만한 바로 이 순간 왜 이렇게 사람들이 보고 싶은지 알 수가 없었다. 내가 오랜 시간 사랑한 여자친구도, 티격태격 서로 타박하면서도 허물없이 가깝게 지낸 친구들도, 언젠가부터 데면데면하게 지내고 있는 가족들까지. 나라는 사람이 나다울 수 있도록 주변에 무심히 존재하는 사람들이 몹시 보고 싶어졌다. 그리고 졸음이 쏟아졌다.

석현의 겉모습은 또래의 요즘 사람들과 별다를 게 없는 삼십 대 중반의 남자처럼 보였으나 내면은 다분히 병적이었다. 그는 타인의 관심에 지독하게 중독된 자였다. 과유불급이라고 했던가. 중용이 중요하다고 하지 않던가. 뭐든 지나치면 좋지 않은 법이다. 석현은 전형적인 SNS 중독자였다. 하루라도, 아니 한 시간이라도 인스타그램을 하지 않으면 불안해서 견딜 수가 없는 사람이었다. 석현은 타인의 관심을 매일 꼬박꼬박 챙겨 먹는 종합 비타민처럼 수시로 허겁지겁 복용했다. 애타는 마음이었다. 애정, 호기심, 동정, 연민 등으로 분류할 수 있는, 타인의 마음의 성격 자체는 전혀 개의치 않았다. 타인의 관심이라면 설령 해석이 불가해도 상관없었다. 그저 관심을 받을 수만 있다면 석현의 자존감은 소폭 상승하곤 했다. 석현은 이를 바탕으로 일상의 지겨움, 괴로움, 공허함을 비교적 잘 견뎌냈다.

석현은 인스타그램 피드 게시물을 하루 평균 3개 이상 올렸다. 업로드 시간도 비교적 잘 지키는 편이었다. 아침 8시쯤 1개, 오후 1시쯤 1개, 저녁 7시쯤 1~2개. 주로 평범한 일상을 담아냈다. 석현이 먹는 음식, 보는 풍경, 읽고 있는 책 등의 사진 아래 현재 기분과 단상을 정성 들여 정리한 후 게시물을 올렸다. 사진의 전체 구도는 통일성 있게 칼같이 유지하면서.

특이한 건 관심에 목마른 자임에도 불구하고 석현은 여

느 인스타그램 유저들과 달리 스토리는 거들떠보지도 않았다는 점이다. 하루라는 짧은 유효기간이 다하면 사라지는 스토리를 그가 좋아할 이유는 딱히 없었던 것이다. 규칙적인 업로드만 본다면 그의 행동은 마치 인스타그램을 잘 활용하는 인플루언서의 초기 전략 아래 성실하게 게시물을 올리는 것처럼 보일 수도 있을 것이다. 그러나 심각한 문제가 따로 있었다. 게시물 업로드 이후 반복적으로 보이는 석현의 과도한 버릇과 이로 인한 심리 상태의 변화가 일상생활에 잦은 지장을 주는 것이었다.

강박에 가까운 석현의 행동은 아주 간단하다. 그는 '좋아요'가 몇 개인지 실시간으로 새로고침을 해댔다. 틈만 나면 그의 손가락은 새로고침을 하기 위해 화면을 훑었다. 거의 무조건 반사적으로 반복하는 행동이었다. 누가 '좋아요'를 눌렀는지, 진심으로 자신의 메시지에 공감해서 눌렀는지 따위는 그렇게 중요한 게 아니었다. 오로지 '좋아요'의 개수에 따라 그의 기분이 현저하게 달라질 뿐이었다. 석현은 '좋아요'의 개수를 그 자신에게 보내는 관심의 척도라고 자의적으로 해석했다. '좋아요'가 95개 달리면 그 순간의 관심 평점이 95점이라고 보는 식이랄까. 평균적으로 70여 개의 '좋아요'가 눌렸는데, 그는 절대 만족하지 못했다. 만족의 끝이 어딘지 알 수 없어서였을까. 석현은 인스타그램에 더 집착했다. 더 많은 '좋아요'가 곧 그의 전부였다.

　석현이 꾸준히 게시물을 올리다 보면 예상치 못한 게시물 반응이 생기기도 했다. '좋아요'가 100개 정도에 육박하는. '좋아요' 수가 100개에 가까워지고 있으나 흐름이 둔화하여 넘지 못하는 게 분명해질 때쯤엔 더 격렬하게 새로고침을 반복했다. 그는 자신이 그렇게 열심히 새로고침을 해도 그 행동이 타인에게 어떠한 영향을 줄 수 없다는 걸 알았지만, 도무지 멈출 수가 없었다. 가끔 댓글이라도 달리면 그는 몇 배로 기분이 좋아지는 듯했다. 석현은 댓글 하나에 마치 '좋아요' 수십 개가 한 번에 적립된 듯 충만한 기쁨을 느꼈다. SNS라는 울타리 안에 꼼짝없이 영혼을 붙잡힌 그의 좁은 세계는 오로지 자기 자신으로만 가득 차 있었다. 타인의 관심을 그렇게 갈구하면서도 정작 타인에게 관심을 줄 여력 자체가 없었다. 어찌 보면 자아도취에 절여져 있는 삶이었다. 아주 간혹 날을 잡아서 어떤 이들이 '좋아요'를 눌렀는지 자세하게 확인하면서 미소를 지을 뿐이었다.

　바로 문제의 그날, 석현은 피곤한 하루를 보냈음에도 불구하고 왜인지 잠이 오지 않았다. 뭔가 불길한 예감이 그를 잠식했다. 기분이 영 별로였다. 그래서 기분전환을 하고 싶었던 걸까. 석현은 그날따라 누가 '좋아요'를 눌렀는지 확인하고 싶은 마음이 강하게 들었다. 석현은 최근에 올렸던 몇 개의 게시물 중 하나를 골랐다. 명대사에 대한 그의 개똥철학이 담긴 짧은 글이었다. 천천히 화면을 훑으며 아이디를 하나하나 확인했다. 몇 번 이상 본 적이 있는 아이디와 프로필 사진이 대부분이었다. 실제 친분이 있는 사람들도 소수 있었지만, 대부분 SNS상에서, 그러니까 인스타그램이라는 플랫폼으로만 알고 지내는 사이였다. 어쩌면 허상일지도 모르는 그들이었지만, 석현은 자신에게 일용할 관심을 준 모두에게 감사했다. 그런 가운데 낯선 아이디 하나가 그의 시선을 사로잡았다.

ssibalnadaejiancatseumnida

석현은 그 아이디를 한 번에 읽기가 어려웠다. 알파벳 소문자만으로 구성된 아주 긴 아이디. 족히 20자가 넘어 보였다. 띄어쓰기도 안 되어 있어서 석현은 처음에 '무슨 아이디가 이렇게 길어?'라는 생각을 먼저 했다. 아무리 봐도 일반적인 단어는 아닌 것 같았다. 그는 그냥 무시하려다 말고 다시 아이디를 응시했다. 뭔가 있을 것 같은 이상한 직감에 눈에 불을 켜고 아이디를 소리 나는 대로 천천히 읽어나갔다. 석현의 예감이 적중했다.

씨…. 씨발? 나대지…. 안캣음니다?

한국어를 발음되는 그대로 영어 소문자로 옮겨 놓은 것이었다. 인위적인 정성을 쏟아서 일부러 만든 게 명확했다. 외마디 욕설과 비아냥거리는 느낌의 한 문장이 합쳐져 의미가 분명한 메시지가 석현에게 전달되었다.

씨발, 나대지 않겠습니다.

석현은 순간적으로 소름이 돋았다. 누군지 모르는 그는 대놓고 댓글로 욕하지 않고 아이디를 통해서 석현에게 메시지를 전하고 있었다. 하마터면 못 보고 지나갈 뻔했다는 생각이 들다가도 또 한편으로는 왜 하필 이런 걸 봤을까 하는 자괴감이 들었다. 어떤 자가 이렇게 악의적인 조롱을 하는 건지 이해할 수가 없었다. 자정이 한참 넘은 시간, 대부분 잠들어 있을 시간에 갑자기 마주한 이 낯선 상황 앞에서 석현은 어쩐지 오싹해졌다. 그 아이디는 악의적인 댓글로 보기도 모호한 구석이 있었다. 어쩌면 그에게 전하는 말이 아닐 가능성도 있었다. 그러나 아이디의 의미를 해석한 후 따라오는 찜찜한 감정은 어쩔 도리가 없었다. 석현은 당장 아이디를 눌러 계정을 확인했다. 팔로워 수 0, 팔로잉 수 0, 게시물 수 0. 아이디 그 자체를 제외하고는 아무런 흔적이 없었다. 완벽에 근접한 익명이었다. 석현은 자신에게 메시지를 전달하려고 일부러 만든 계정이 분명하다고 확신할 수밖에 없었다. 석현은 정체를 알 수 없는 익명의 누군가가 눌러준 '좋아요'를 삭제하고 계정을 차단 하려다 내버려뒀다. 그는 명백한 조롱의 증거를 손수 없애 버리는 우를 범하고 싶지 않았다. 석현은 다른 게시물에도 그 아이디가 '좋아요'를 눌렀는지 확인하기 위해 최신 게 시물부터 차례대로 리스트를 살펴봤다. 그 게시물 외에 다 른 게시물에서는 흔적을 찾아볼 수 없었다.

석현에게 오만 가지 생각이 폭죽처럼 터지기 시작했다. 누구의 짓인가, 혹시 우연의 일치는 아닌가, 원하는 게 대 체 뭔가, 석현은 이른 새벽까지 이미 넘쳐버린 생각의 홍 수 속에서 잠을 이룰 수 없었다. 그는 자신의 일상을 되돌 아봤다. '씨발'이야 일상적인 욕이니까 그렇다 치고 '나대 지 않겠습니다'는 무슨 의미일까 아무리 되짚어봐도 누군 지도 모르는 상대의 마음을 알 길이 없었다. 잠이 달아난 석현은 관심에 목마른 자답게 일단 이 상황을 온라인 상에 서 공론화하기로 결심했다.

다음 날 저녁, 석현은 매번 게시물을 올리는 시간대보다 조금 늦은 시간에 게시물 하나를 올렸다. 미리 캡처해놓은 문제의 계정 프로필 사진을 일상 사진 대신 업로드하고 하 단에 다음과 같은 글을 남겨두었다.

　어제 위와 같은 아이디를 발견했습니다. 제가 아무리 '좋아요'를 좋아한다고 해도 이런 아이디로 '좋아요'를 누르는 건 용납하기가 힘드네요. 좋은 말만 나눠도 시간이 부족한 세상인데 이렇게 교묘하게 조롱하고 비아냥거리는 건 옳지 않습니다. 제가 마음에 안 든다면 차라리 자신이 누구인지 당당하게 밝히고 댓글로 솔직하게 써주시던가요. 저에 대한 일방적인 불만이라도 받아들일 수 있는 여지가 분명하다면 얼마든지 수용할 수 있지만, 이런 식이라면 곤란하네요.

　이번 게시물에는 '좋아요' 개수가 더 빠르게 올라갔다. 댓글이 많이 달렸다. '우와, 정말 교묘하네요! 저런 머리로 공부나 열심히 하지!', '정말 세상엔 별난 사람 천지네요!', '석현님, 별일 아닙니다. 그냥 무시하세요!', '나대다가 뭔일 당한 적 있나? 왜 저렇게까지 하는 걸까요?' 등등. 석현의 글에 공감을 표하는 댓글이 대부분이었다. 석현은 금세 기분이 좋아졌다. 사람들의 따뜻한 관심이 더 커져서 오히려 잘된 일인 것 같다는 생각까지 하기에 이르렀다. 석현은 오랜만에 '좋아요' 개수가 150여 개 가까이 되자 이걸 콘텐츠화하기로 마음먹었다. 그는 많은 댓글 아래 직접 댓글을 달았다. '아무리 생각해도 이 아이디는 용납이 안 되네요. 여기 이 아이디는 오늘부로 차단하겠습니다.'라고. 석현이 댓글을 달자마자 그의 결단을 옹호하는 댓글들이 추가로 생성되었다. 여론은 분명히 석현의 편이었다. 석현은 회심의 미소를 지었다.

타인으로부터 더 많은 관심을 받을 수 있는 묘안이 떠올랐기 때문이다. 그는 남몰래 비밀 계정을 하나 더 만들었다. 석현을 자극했던 아이디와 비슷한 형태의 아이디를 설정했다. 그리고 며칠이 지난 후에 석현은 또 문제의 아이디가 또 생겨났다면서 자신이 직접 만든 아이디가 잘 보이게 캡처하여 게시글을 올렸다. 그 며칠 뒤에 또 다른 아이디로, 또 다른 아이디로, 또, 또, 또 다른 아이디로 변경한 후 계속 게시글을 올리는 방식을 고수했다. 석현은 반복적으로 게시물을 올리면 반드시 성과를 얻을 수 있다고 믿었다. 석현은 아이디에 더 신랄하고 자극적인 문장을 계속해서 만들어 넣었다. 게시물의 수위가 올라갈수록 반응 역시 더 강렬해졌다. 석현의 인스타그램 친구들이 남긴 댓글을 살펴보면 욕의 수위가 점점 높아지는 게 확연했다. 대신욕 좀 해달라는 듯한 뉘앙스의 그 게시물들은 석현의 계정 자체의 성장을 견인했다. 일상 사진과 글이 담긴 게시물의 '좋아요' 개수가 평균 70여 개에서 100여 개로 상승했고, 석현이 자극적인 문장으로 만든 아이디를 캡처한 게시물을 올릴 땐 최대 200여 개의 '좋아요'를 기록하기도 했다. 석현은 '좋아요' 개수에 취해서 자작극도 들키지만 않는다면 콘텐츠가 될 수 있는 거라며 합리화했다. 석현은 이런

게시물을 올려서 '좋아요'를 많이 받으면 자신의 자존감이
쭉 올라가는 것 말고 누구 하나 피해 보는 사람이 없는데
무슨 문제가 될까 싶었던 것이다. 이와 더불어 석현은 욕
하고 싶은 이들에게 욕할 기회를 주는 것이야말로 스트레
스 해소 수단을 제공하는 것과 다를 바 없다고 믿었다. 석
현은 거짓으로 공들여 쌓은 게시물도 꾸준하면 엄청난 힘
을 발휘할 수 있다는 것을 실감했다.

　석현은 이 흐름이 영원할 거라고 착각했다. 한계가 그렇
게 빨리 올 줄은 예상하지 못했다. 자극적인 아이디를 캡
처한 게시물도 일상 사진과 다를 바 없는 수준으로 반응이
미지근해지는 데는 채 두 달이 걸리지 않았다. 자극은 극
단적으로 강하지 않으면 종국에는 무뎌지는 것이었다. 수
십 개씩 달리던 댓글도 점점 줄어들다가 단 한 개의 댓글
도 달리지 않는 경우도 생겨났다. 석현은 초조했다. 분명
자신의 계정이 이전보다 성장한 것이 분명한데 왜 그렇게
갈증이 더 심해지는지 의문이었다. 그러던 어느 날, 석현
은 자신의 계정이 태그되었다는 메시지를 확인했다. 두근
거렸다. 아이디 태그는 '좋아요'와 댓글보다 더 자존감이
올라가는 형태였기 때문이다. 어떤 글이 올라왔는지 확인
하고 싶은 마음에 석현은 바로 계정을 클릭했다. 석현이
알고 있는 계정이었다. 실제로도 몇 번 본 적이 있는 또래
친구의 익숙한 계정. 석현의 계정이 태그된 최근 게시물은

여러 장의 이미지와 글로 이뤄져 있었는데, 맨 앞 장에 흰색 바탕에 선명한 두 줄의 문장이 쓰여 있었다. '석현님, 이제 그만하시죠? 조작도 정도껏.'이라고. 나머지 이미지는 석현이 거짓으로 꾸며 만들었던 이미지를 다시 캡처한 이미지들로 나열되어 있었다. 그 이미지들 아래 장문의 글이 이어졌다.

처음에는 그저 석현님의 지나친 자기 과시와 관심을 구걸하는 행태가 조금 거북할 뿐이었어요. 댓글을 달까 했는데 또 그건 너무 진부해서 내키지 않더라고요. 공식적인 악플러가 되기도 싫었고요. 대신 짓궂은 장난 하나가 떠올랐던 거죠. 유심히 보지 않으면 눈치챌 수 없게 아이디를 하나 만들어서 '좋아요'를 눌러 봤습니다. 네, 접니다. 제가 만든 유령 아이디로 '좋아요'를 눌렀어요. 석현님이 어떤 반응을 보일지 예상할 수는 없었습니다. 솔직히 말해 석현님이 이 떡밥을 물지 확신이 없었거든요. 근데, 제대로 반응하시더라고요. 그것도 아주 재밌는 방식으로요. 처음에 저격하는 글이 올라왔을 땐 석현님답다는 생각을 했어요. 와, 이걸 이렇게 푸시는구나, 라고요. 근데, 아시다시피 제가 만든 아이디는 차단당했고, 저는 흥미를 잃어서 더는 장난을 안 쳤는데 말이죠. 그런데, 그런 게시물이 계속 올라오는 겁니다. 나 말고 이런 장난을 치는 사람이 또 생긴 건가 싶었는데요. 자세하게 보니까 아닌 거 금방 알겠더라고요. 아이디의 말투와 석현님의 평소 글 올리실 때의 말투가 똑같아요. 사람들에게는 습관적으로 쓰는 말이나 어투가 있잖아요. 저는 그래서 결론을 내렸죠. 아, 자아가 여러 개인 것처럼 행동하시는구나. 제가 툭 하고 한 번 던진 게 이렇게까지 오래 지속될 줄은 몰랐거든요. 석현님, 심각하신 것 같아요. 그래서, 결단을 내렸습니다. 제가 던진 떡밥은 제가 회수하는 게 맞구나, 하고요. 못 믿으시겠다면 할 수 없지만, 석현님한테 한 번 댓글이나 디엠으로 물어보세요. 언제까지 거짓말을 할 지 모르겠지만요.

　석현이 문제의 친구가 남긴 장문의 글을 다 읽었을 때는 이미 늦었다. 그 게시물에는 석현의 계정보다 훨씬 더 빠른 속도로 '좋아요' 개수가 올라가고 있었다. 자작극일 거라고 전혀 의심하지 않았던 친구들이 각성하는 게 보였다. 뒤통수를 제대로 맞은 기분이었다. 친구의 게시물에 정말이냐고 묻는 댓글이 수십 개씩 달리기 시작했고, 동시에 석현의 계정은 악플 세례로 초토화되었다. 이게 다 거짓말이었냐고 묻는 댓글이 계속 달렸다. '좋아요' 개수도 소폭 상승했지만, 석현은 그게 문제가 아니라는 걸 직감했다. 아직 안 읽은 글로 가득한 DM 목록도 실시간으로 그의 핸드폰 화면에 흘러내렸다. 석현은 억울했다. 왜 자신을 이런 늦에 일부러 처넣은 건지 이해할 수가 없었다. 석현은 자신은 잘못이 없다고, 그 친구가 잘못한 것이라고, 이

제 와서 자신을 욕하는 인스타그램 친구들이 이상한 거라
고 계속 되뇌었다.

안녕하세요. 작가님. 이제는 이렇게 불러도 되겠죠?

편지, 참 오랜만입니다. 우연히 집어 든 책이었어요. 회색빛 표지 색깔이 마음에 들었는데, 제목도 좋았어요. 요즘 책은 제목이 반 이상이라고 하잖아요. 한국에 들어온 지 얼마 되지 않아 마음이 썩 좋지 않을 때였습니다. 마음이 메말라 바스락거리는 소리가 난다는 걸 느꼈을 때, 할 수 있는 일이 많지는 않았죠. 동네서점에서 천천히 책을 고르는 건 늘 하던 일이었어요. 서점에서 느린 발걸음으로 가볍지 않은 몸을 옮기며 책을 이리저리 들춰보면 어떤 책이든 한 문장 정도는 마음에 드는 게 꼭 있었어요. 마음에 드는 문장을 찾을 때까지 계속 보니까 서점에 머무르는 시간은 그때그때 달랐어요. 그렇게 마음에 드는 문장이 하나라도 있는 책을 발견하면 선 채로 계속 읽습니다. 애쓰지 않아도 계속 읽히는 책이 있어요. 그건 제 마음에 드는 책이라는 뜻이죠. 그런 과정에서 살아남은 책을 사서 나오는 방식. 그런 방식을 고수한 지도 꽤 오래되었죠. 그렇게 만났습니다. 저만 알아볼 수 있는 당신의 편지가 있는 그 책을요. 제가 왜 이렇게 중요하지도 않은 말을 늘어놓고 있는지 모르겠네요. 흔한 일은 아니었으니까 뭔가 자세히 말하고 싶었나 봅니다.

제가 당신을 처음 만났던 그때만 하더라도 여행자들의 천국이라고 알려진 그 도시의 유일한 서점엔 한국어로 된 책이 전혀 없었어요. 지금은 세계적인 K-pop 스타들이 몇 년째 시들지 않는 열풍을 이어 나가는 수준이니 세상이 많이 달라지긴 했네요. 다른 언어를 쓰는 팬들이 팬레터를 쓰기 위해 한국어를 배우는 걸 상상이나 했을까요. 그곳에서 생존의 욕망이 그렇게 강하지 않은 채로 시간을 까먹고 있던 저에게 서점은 별로 위안이 되지 못했어요. 말을 잃은 사람처럼 입을 닫고 지냈던 날들이 많았죠. 저는 활자가 가득해 읽고 또 읽으면서 얼마든지 길을 잃어도 좋을 소설 속의 진짜 같은 가상 세계에 더 마음이 갔는데, 낯선 언어들로 된 책들은 꼭 그림책 같았어요. 저는 그곳에서 단 한 권의 책도 사지 않았어요. 한적한 강변 근처에 있던, 소설도 그림책처럼 보이는 그 서점에서는 말이죠. 꽤 오랜 타국 생활이었는데 거기서 샀던 책이 한 권도 없다는 건 제 취향의 색깔이 뚜렷하다는 증거이기도 하고, 어쩌면 저역시 끝내 그곳을 떠날 거라는 암시였을 수도 있겠다는 생각을, 이제야 해봅니다.

그저 살아있기만 하자는 마음으로 충동적으로 가서 머물렀던 도시. 저에게는 완전무결하게 소진된 마음을 복원하고자 하는 의지가 남아 있었나 봐요. 일할 때 별다른 말을 하지 않아도 되는, 반복적인 노동만 하면 살아갈 수 있는 최소한의 비용이 마련된다는 것만 해도 충분히 매력적인 도시였어요. 물론, 삶은 예상한 대로 흘러가지 않았습니다. 그렇게 벗어나고 싶었던 모국이 그렇게 미치도록 그립게 될 줄 누가 알았을까요. 다른 모든 것이 해결되었는데도 저라는 존재가 처음으로 세상과 만난 그 지긋지긋한 곳이 그리워졌습니다. 제가 마음을 내려놓는 만큼, 포기하는 만큼 원하는 삶을 살 수 있다는 착각. 그 착각을 깨닫는데도 꽤 오랜 시간이 걸렸습니다. 인간의 욕망은 그렇게 단순하지 않더군요. 거기서 살았던 시간, 저의 결정을 후회하지는 않습니다. 돌아보면 그 도시에서 이방인 아닌 이방인으로 살았던 때가 가장 저다웠던 시간이었으니까요.

아까 하던 말을 이어가죠. 전 지금 거기가 아닌 여기에 있습니다. 귀국하고 가장 좋았던 건 모국어로 된 책을 실컷 구경할 수 있다는 것이었어요. 모국어가 가득한 책들은 언제나 쉽게 제 마음을 두드리곤 했어요. 신간 코너에 안락하게 누워있던 책. 부치지 않은 편지라. 차마 발화되지 못한 채 화석처럼 굳어 있던 말들에게 생명력을 불어넣고 싶었던 걸까. 궁금해졌어요. 도대체 어떤 욕망으로 소멸한 인연에 다시 불을 피우고 싶었던 것인지. 그러면서도 '제발, 그러지 마.', '안 그러는 게 좋을 텐데….', '그냥 관심

*끄자.'*라고 저 자신에게 중얼거렸어요. 혼자 되뇌는 말은 곧 힘을 잃었지만요.

책의 제목을 목격했을 때 불현듯 당신의 편지가 있을지도 모른다고 생각했습니다. 당신의 흔적이 남아 있다는 걸 확인하기도 전에 서둘러서 샀지만, 왜인지 당신의 글이 있을 것만 같은 느낌은 점점 강해졌습니다. 그냥 마음이 이끄는 대로 귀신에 홀린 것처럼 책을 샀다는 말은 너무 거짓말 같잖아요. 실은 당신의 편지가 꼭 있을 것만 같았어요. 언젠가 당신이 책을 내고 싶다고 말했던 것도 기억났어요. 당신을 마지막으로 본 이후에 가끔 당신과의 시간을 떠올린 순간에도 그 말은 까마득하게 잊고 있었는데, 그 책 앞에서 그날이 떠올랐습니다. 저의 눈빛을 마주하지 않고, 허공을 보며 작게 말했던 그 순간 당신의 눈동자. 그리고 곧, 당신이 손바닥을 비비다 두 손으로 눈을 가리며 한숨을 내뱉자마자 제 눈에 들어왔던 당신의 입술.

수신인에게 직접 전하지 못한 편지들만 가득한 그 속에서 당신의 흔적을 그렇게 보고 싶었는데, 막상 제 공간에서 책을 펼쳐보는 것 자체가 쉽지 않았어요. 망설이지 않고 책을 샀는데, 책을 읽는 건 어쩐지 머뭇거리게 되더군요. 왜 주저했는지 그때는 몰랐습니다. 어쩌면 저는 그나

마 남아 있던 약간의 진실마저 각자의 기억이라는 무서운
도구로 채색될 걸 느끼고 있었나 봐요. 제가 당신에게 이
렇게 또다시 답장을 쓰고 있는 걸 보니 그 서점에 가는 게
아니었나 싶어요. 자업자득이라는 말 맞아요. 왜 저는 이
책을 샀을까요. 언제나 현실은 허구를 초월한다는 걸 예상
못 했던 것도 아닌데 말이죠. 당신은 아마도 내가 그 도시
에서 영원한 이방인으로 계속 쓸쓸하게 살고 있을 거라고
믿었던 것 같아요.

　신기한 일이에요. 저는 당신과 나눈 많은 대화가 지금까
지도 무척 많이 남아 있는데, 당신은 나의 말도 목소리도
기억나지 않는다고 하는 게. 순간을 기억하는 방식이 저와
는 무척 달랐다는 게 쓸쓸하기도 했어요. '사실은 이곳에
서 죽을 생각을 하고 있었다.'라고 했던 당신의 말. 조금은
다르지만, 다행히도 저 역시 그 말은 비슷하게 기억하고
있어요. 이제는 그마저 다행인 건지 의문이 들지만요. 잊
을 수가 없죠. 어떻게 그 말을 잊을 수 있을까요. 당신이 위
스키 몇 잔에 취해 울음을 터트리며 한 그 말 덕분에 전 지
금까지 살고 있는데, 절대로 잊지 못합니다.

　처음으로 누군가를 살리고 싶었던 순간이었거든요. 당
신은 몰랐겠지만 전 죽고 싶다는 말을 입에 달고 다녔던

사람입니다. 당신이 술에 취해 내뱉었던 그 말을 듣는 순
간, 저는 알게 되었어요. 저라는 인간에 대해. 누구보다 더
'살고 싶어.'한 평범한 인간이었다는 걸요. 당신을 살리기
위해서 '죽을 수는 없다.'라는 생각을 했어요. 이런 말 하는
저. 당신도 웃기죠. 무슨 영화에서나 나올 법한 특별한 사
연을 가진 연인도 아니고. 당신과 제가 얼마나 알고 지냈
다고 그런 다짐을 했는지 모르겠어요. 그날은 당신을 안으
며 아무런 말을 할 수 없었죠. 그저 품을 빌려주는 게 제가
할 수 있는 전부였어요. 당시에 제가 당신에게 품었던 감
정이 흔한 호감이나 사랑이 아니었다는 것은 저도 동의합
니다. 그러나, 보편적으로 설명할 수 없는 그 관계가, 그 순
간이 저를 변화시킨 건 분명해요. 불안정하던 당신의 숨소
리가 차분해질 때, 전 이렇게 별 볼 일 없는 생이라도 그저
살아보자고 마음먹었어요. 계속 살다 보면 나도 또 누군가
에게 필요한 존재일 수도 있다고. 실패에 익숙해져버린 저
도 우연히 의미 있는 일을 할 수도 있다고.

　당신과 몸을 섞고 어색하게 당신의 등을 쓸어내렸을 때,
젖은 눈으로 저를 보며 물었던 게 새삼 기억났어요. 인연
을 믿느냐고요. 날 사랑하냐고 하지 않고, 인연을 믿느냐
고 했던 당신의 말은 상투적이었지만, 조금 더 진지하게
느껴졌어요. 전 당황하지 않고 마치 준비한 것처럼 답을

했었죠. 아, 당신은 이것 역시 기억나지 않을 수 있겠네요. 저는 인연을 믿지 않고, 그저 현재에 충실할 뿐이라고. 그렇게 말했습니다. 뻔한 대답이었지만, 거짓말은 아니었어요. 사랑은 아니었을지 몰라도 조금은 더 오래 당신과 있으면 좋겠다는 생각은 잠시 했던 것 같아요.

당신이 갑작스럽게 떠났던 걸 몰랐던 날과 인정했던 날이 떠오르네요. 하루 정도 연락 없이 근교의 다른 도시를 다녀오곤 했던 당신이니까 또 그런가 보다 했어요. 하루가 일주일이 되고, 보름이 되고, 한 달이 넘었던 어느 날. 당신이 떠났다는 걸 인정할 수밖에 없었습니다. 말없이 간 당신에게 굳이 연락하고 싶지는 않았어요. 억지로 잡으려고 애쓸수록 더 멀리 달아난다는 건 다 아는 나이였으니까요. 그 정도는 저도 알고 있었습니다. 그래도 편지를 읽기 전까지 당신은 저에게 변함없이 셀린이었는데, 이제는 그럴 수가 없네요.

당신의 편지에서 정정해야 할 부분이 있어요. 제가 자조적으로 모두가 다 떠나간다고 말했을 때, 당신은 다시 돌아갈지도 모른다는 말도 하지 않았어요. 그런 말은 한 적이 없습니다. 다른 건 몰라도 그건 말해주고 싶었어요. 당신은, 단지 사라졌습니다. 만나고, 헤어지고, 떠나고, 잊고

하는 그런 시시한 일들. 그냥 사람으로서 다 하는 흔한 일
이라고. 마음 아프게 집착하지 말자 했어요. 집착의 끝은
언제나 좋지 않았으니까요. 아무리 애틋해도 한순간에 사
라질 수 있는 것. 그게 이상하지 않은 게 인간의 관계인데,
하물며 당신의 말대로 우리가 그 정도의 관계는 아니었으
니까요.

그리 길지 않았지만, 끝난 인연을 인정하니까 이듬해에
당신을 우연히 봤을 때도 먼저 인사할 수 있었어요. 감사
했습니다. 마음을 다스린 저 자신에게. 노력하지 않아도
그렇게 당신을 대할 수 있다는 게 놀라웠어요. 우연히 그
렇게 몇 번을 더 마주쳤을 때도 애써 외면하지 않으면서
담담하게 눈인사를 건네는 여유는 말할 것도 없었죠. 글자
로 오가는 대화는 뭔가 꼭 전달해야 할 감정이 생략된 것
같아서 선호하지 않았던 저는 당신과 달리 제 연락처 목록
에서 굳이 당신을 찾아보지 않았어요. 다시 만난 당신을
봐도 아무렇지 않았던 저는 더는 아무런 감정이 없다고 확
신했습니다. 감정은 이렇게 사라지고, 그저 기억만 남았구
나. 그때, 당신이 그런 마음으로 제 주위를 배회하고 있었
다는 사실은 전혀 몰랐네요.

그 후 두 해 더 그곳에 머물렀어요. 가진 것 없이 정착했

던 곳이라 아쉬운 마음과 달리 돌아오는 과정이 어렵진 않았습니다. 모국에서 다시 평범해 보이는 삶을 이어 나가기 위해서는 하고 싶지 않았던 일들을 해야 한다는 게 여전히 못마땅하지만 어쩌겠어요. 이미 귀국할 때부터 각오했던 상황이었습니다. 다시 전 그렇게 지긋지긋했던 땅의 흙을 맘껏 밟고 있습니다. 옅은 열망으로 남들처럼 살지 않겠다고 떠났지만, 이제는 남들만큼이라도 살았으면 하는 소망이 더 간절합니다.

　계속 후회가 남아요. 읽지 말았어야 했는데. 당신이 그렇게 말없이 떠나갔을 때, 어차피 떠난 이유가 있다고 한들 제가 이해할 수 없는 것일 게 뻔했는데 말이죠. 죄책. 아이러니하네요. 그래도 저에게 소중했다는 낯간지러운 말로 포장할 수 있었던, 의미로 가득했던 날들이 당신에게는 그저 지우고 싶은 과거일 뿐이라는 게. 우리의 시간이 겨우 죄책이라는 두 글자로 요약되는 게. 당신의 말이 아닌, 별 상관도 없는 타인의 말을 빌려 저를 나쁘게 기억하고 있다고 말하고 싶었던 건가요. 그렇게 해서 당신의 죄책을 깨끗하게 덜어내고 싶었던 건가요. 저에게 보내는 편지를 굳이 세상에 내놓은 이유는 한 가지가 아니겠죠. 그런데, 몇 번을 읽어보고 생각해봐도 가장 솔직한 단 하나의 이유는 모르겠어요. 모르겠다는 말보다는 믿고 싶지 않다는 게 더 거짓 없는 말일까요.

당신은, 당신은 저처럼 혹시나 하는 마음이 들어도 행동으로 옮기지 마세요. 결국, 후회만 남게 될 테니까요. 제가 당신이라는 흘러간 과거의 책을 읽기 위해 스스로 고통을 구매한 것처럼, 당신이 예상한 것보다 더 엉망이 될 수도 있으니까요. 당신은 이메일을 보내고 계정을 아예 삭제해버리는 마음으로 쓴 편지였을 텐데, 버젓이 그 편지에 답장이 생성되었네요. 안타깝게도.

이미 규정할 수 없는 그대로 아름다웠던 우리의 짧은 인연과 기억이 당신의 편지로 인해 산산이 부서졌다는 현실에 섭섭한 마음이 드는 건 사실입니다. 저만 혼자 오해한 채로 계속 살았다면 이렇게 마음이 헛헛하지는 않았을 텐데. 계속 후회가 됩니다. 저는, 저는 무슨 미래를 상상했던 걸까요. 마지막으로 이 얘기를 하는 게 적절할지 모르겠어요. 그래도 당신 역시 궁금해하실 수도 있을 것 같아서 덧붙입니다.

저도 결혼을 했습니다. 현재 함께 살고 있진 않지만요. 굳이 저에게 편지를 쓴 당신에게는 이 정도 근황이 원하는 저의 안부일 수도 있겠네요. 당신이 기억하는 그 도시. 머무르는 사람보다 떠나가는 사람에게 훨씬 더 잘 어울렸던 그 도시에서 우연히라도 저를 볼 일은 없습니다. 혹시라도 우리가 태어난 이곳 어딘가에서 마주치더라도 그때처럼 인사를 하지는 않을 테니, 걱정하지 않으셔도 됩니다. 전 당신이 그때의 우리, 아니 우리라는 말은 이제 좀 과분하네요. 그날들의 '당신과 나'를 성실하게 잊도록 노력해주셨으면 좋겠어요. 저도 그렇게 하겠습니다. 전 당신의 편지를 읽고 괜찮지 않게 되어버렸습니다. 어디서부터 어디까지 괜찮지 않은지 뚜렷하게 설명할 수는 없지만요. 당신의 편지를 읽고 총체적 난국에 빠져버린 저. 이제는 만족하시나요.

부쩍 더워진 서울 근처에서, 죄책에서 벗어난 이에게.

아무도 없는 집으로 돌아와 불을 켰다. 방을 둘러본다. 이제 제법 미호의 흔적이 지워진 것처럼 느껴진다. 그녀가 이 공간에 있었나 싶을 정도로. 코로나19가 해를 거듭하며 맹위를 떨치다 겨우 일상으로 돌아오던 그 시기에 성미호를 처음 만났다. 내가 자주 가던 동네의 단골 술집에서 그녀와 합석한 후 연락처를 교환했고, 남들처럼 간지럽히듯 썸을 타다가, 연인이 되었다가, 부부가 되었다가 마침내 완벽하게 헤어져 남이 된 지 한 달이 다 되었다. 어린 우리의 사랑은 결말이 뻔히 예상되는 그저 그런 멜로 영화처럼 활활 타올랐다가 빠르게 식어버린 것이다. 그녀와 나의 모든 사랑이 불과 삼 년이 채 안 되는 시간에 걸쳐 시작되고 소멸했다는 게 현실 같지 않게 느껴질 때가 있다. 과거에 무척 집착하는, 미련이 너무 많아 피곤한 성격인 나. 미호가 떠난 후 그녀에게는 나의 그런 구질구질한 모습을 전혀 보이지 않았다. 마지막으로 깔끔하게 안녕을 고한 뒤 한 달 동안 단 한 번도 연락하지 않은 나 자신이 대견했다. 놀랍고 신기했다.

—

"저에게 첫눈에 반했다고요? 너무 진부한 접근 아닌가요?"

"네, 말하자면 그런 셈이죠."

"저는 그쪽하고 사귈 생각이 전혀 없는데요."

"사람 일은 어떻게 될지 모르는 거죠. 전혀 같은 말은 되도록 안 쓰는 게 좋아요."

"에이, 저는 확실하게 자신할 수 있어요."

"확실하게 같은 말도 마찬가지고요."

"우리 합석한 지 겨우 한 시간 지났어요. 아무리 생각해도 너무 빠른 것 같은데요."

"시간은 중요하지 않아요."

"그럼, 기혁 씨가 생각하기에는 뭐가 중요해요?"

"미호 씨랑 이렇게 마주 보고 웃으면서 대화하고 있는 것 자체?"

"아우, 진짜 느끼해요. 그러지 말아요. 제발."

지금 생각해봐도 우리가 처음 만났던 그날 미호도 나에게 호감이 있었던 게 분명하다. 그렇지 않고서야 낯선 남자에게 자리를 그리 쉽게 허락한 것도 모자라 그렇게나 빨리 연락처를 줄 이유가 없으니까. 물론, 크게 표나지 않으면서도 유효했던 술집 사장의 센스 있는 어시스트가 한몫했던 건 부인할 수 없다. 술이 혈관을 적시듯 자연스러웠다. 모든 게. 미호는 내가 연애 시장에서 건재하다는 사실을 증명해준 고마운 사람이다. 어디 그뿐인가. 연애한 지 얼마 되지 않았을 때, 그냥 혼인 신고를 먼저 해버리자고 말했던 건 미호였다. 부부가 된다는 것이 그렇게 쉬운 일일 줄은 몰랐다. 세상의 모든 일은 마음먹기 나름이라는 걸 실감하는 나날이었다. 결혼식은 생략했다. 이번엔 내가 제안했고, 미호가 동의했다.

미호와 난 공교롭게도 둘 다 고아였다. 기적처럼 유사한 우리의 이면이었다. 술집에서 고아가 서로 첫눈에 반할 확률이 얼마나 될까. 어쨌거나 괜히 쓸쓸해 보이는 평범한 결혼식 사진, 우리에겐 전혀 필요하지 않았다. 결혼은 양 집안의 결합이라서 두 사람만의 사랑만으로는 어림도 없다는 보통 어른들의 말이 우리에게는 전혀 해당하지 않다. 우리 둘만 있으면, 우리 둘의 사랑이 존재하면 그걸로 충분했다.

미호와 난 그 외에도 공통점이 있었는데, 그건 결정적이고 긍정적인 일면이었다. 씀씀이가 헤프지 않았다는 것. 우리나라는 아동복지법에 따라 만 18세가 되면 고작 정착 지원금 오백만 원을 받는다. 미호도 나도 그 돈을 받고 쫓기듯이 보육원을 나올 수밖에 없었다. 고아 출신이 나쁜 길로 빠지는 건 너무나도 쉬운 일인데, 우리는 달랐다. 이미 세상이 불공평하다는 걸 너무 잘 알고 있었기 때문에 어렵지 않게 돈을 벌 수 있다는, 검은 유혹에 쉽게 빠지지

않았다. 어른이 된 미호와 나는 서로를 알기 전부터 각각
높은 최종 학력 수준이 그리 필요치 않은 직장에 취업해
착실히 돈을 벌고 모았다. 보증금이 필요 없는 고시원을
선택, 저렴한 주거 비용을 포함한 최소한의 생활비를 지출
하고 있었다. 난 사랑하는 미호와 같은 공간에서 살고 싶
었다. 그동안 쓰지 않으려고 부단히 애썼던 각자의 정착지
원금을 합해 보증금 삼았고, 부지런히 발품을 판 덕분에
경기도 남부 외곽의 허름한 전셋집을 구할 수 있었다. 짧
은 세월이었지만, 정말 행복했다. 행복이라는 걸 손에 쥔
다는 게 이런 느낌이라는 걸 몸소 체험했던 순간들의 연속
이었다. 아침잠이 별로 없던 미호는 언제나 먼저 일어나
나른한 목소리로 날 깨웠다. 함께 살고 있지 않다면 절대
들을 수 없는 편안한 목소리였다.

"자기야. 일어나. 일하러 가야지."
"어, 어, 알았어."
"얼른, 일어나. 늦었어."
"딱 십 분만 더. 아직 시간 있잖아."
"어떻게 그건 또 귀신같이 알았어?"

꿈같이 황홀한 시간이었다. 미호는 내가 못 일어나면 누
운 채로 뒤에서 날 꽉 껴안곤 했다. 미호의 숨결이 내 귀에

닿는 게 그렇게 좋을 수가 없었다. 미호의 부드러운 숨은 달큼한 내음을 풍겼다. 조금 과하게 말하자면 이대로 그냥 죽어도 좋다는 생각이 들 정도로 기분이 좋았다. 사람의 인생이 복잡하다고 믿으며 살아왔는데, 미호와 행복했던 순간만을 떠올리니 그렇게 단순할 수가 없었다.

그렇게 행복했는데 어쩌다 우리는 이렇게 되어버린 걸까. 회사에서 기분이 좋지 않은 채로 귀가했던 그날, 미호는 왜 하필이면 나에게 그 말을 했을까. 미호는 머뭇거렸던 게 분명했다. 나에게 그 말을 할지 말지 고민했던 표정이 어렴풋이 기억난다. 하지 말았어야 했다. 그 말을. 우리가 헤어지게 된 원인이었던, 이별의 시작이었던 그 말을.

–

아무도 없는 집으로 돌아와 불을 켰다. 이제 제법 미호의 흔적이 지워진 것처럼 느껴진다. 그녀가 이 공간에 있었나 싶을 정도로. 우두커니 앉아서 우리의 시작과 끝을 반복해서 생각하고 있을 때, 갑자기 초인종이 울렸다.

딩동.

이 시간에 올 사람은 없었다. 아니, 초인종이 울릴 이유
는 단 한 가지밖에 없었다. 난 드디어 올 게 온 것뿐이라고
생각했다. 진짜 끝이 아직 남아 있었다는 걸 새삼 깨닫고
야 말았다.

"경찰입니다. 남기혁 씨 댁 맞나요?"

"….."

"남기혁 씨, 댁에 계신 거 맞죠?"

"네, 맞습니다만."

"문 좀 열어주시겠습니까?"

"무슨 일 때문에 그러시죠?"

"아시지 않나요? 일단 문 열어주세요."

사실 난 알고 있었다. 잊고 싶다고 잊힐까. 다른 기억으
로 덮는다고 과연 덮어질까. 외면하고 싶은 그날의 기억이
바로 어제 일처럼 모두 떠올랐다.

너무 긍정적인

"주목! 해은 좀 본받아! 너희는 뭐 느끼는 게 없니?"
"해은 하는 거 좀 봐라. 왜 그렇게 불만이 많아?"
"해은처럼 좀 해봐. 1년도 못 참아? 응? 1년도!"

난 법적으로 성인이 되기 전까지 내 성격이 문제가 될 거라고 의심해본 적이 없다. 초중고 12년의 세월 동안 나를 맡았던 모든 선생님은 침범할 수 없는 환한 기운으로 가득 찬 긍정의 아이콘인 나, 해은을 칭송하였기에. 모든 상황을 담담하게 받아들이는 내 천성이 친구들에게 의도하지 않은 불편함을 줄 수도 있다는 걸 인식한 건 대학에 들어온 이후였다. 별다른 행동을 하지 않았는데도 일순간 주변 친구들의 얼굴이 굳는 장면을, 난 종종 목격했다. 물론, 친구들의 날 선 표정 때문에 상처를 받은 적은 없다. 아무리 전후 관계를 되짚어봐도 진짜 원인을 파악할 수가 없어서 답답하다는 게 유일한 문제라면 문제. 예민함보다 무심함이 타인에게 더 큰 부정적 감정을 일으킬 줄은 몰랐던 난 그저 가만히 있는 게 최선책이었다.

어차피 내가 친구들의 마음을 다 헤아릴 수는 없는 노릇이었다. 난 그간 경험을 토대로 '친구'를 간단하게 재정의했다. 친구는 타인이다. 타인의 감정은 타인의 것이기에 공식적으로 내 책임은 없다. 어릴 적부터 친구들이 시나브로 나와 거리감을 유지하고 있다는 걸 짐작하고 있었다. 냉랭한 기운이 감도는 그 사이를 좁히기 위해 내가 특별히 노력한 것은 아니었다. 막역한 친구, 미정. 그러니까 나름 가까운 친구로 분류할 수 있었던 미정이 어느 날 느닷없이 전화를 걸어와서는 술김에 속마음을 그대로 드러냈을 때가 되어서야 난 노선을 확고히 정했다.

"너는 고민이 없지? 응? 마음 편해서 좋겠다. 나도 너처럼 마음 편히 살아봤으면 좋겠어."

술에 취한 미정과 통화를 마친 후부터 난 오히려 최소한의 불안마저 사라졌고 재빠르게 처신술을 방비했다. 의도적인 무시는 효과적이었다. 친구들이 나에게 보내는 모든 부정적인 시선을 부지런히 차단했다. 어차피 내가 가졌던 의문이 고민한다고 바꿀 수 있는 게 아니라는 걸 안 이상 뒤도 돌아보지 않았다. 뻔한 관계를 포기하고, 능력을 키우는 데 집중했다. 미정의 전화를 끊었을 때부터 대여한 학사모를 반납할 때까지도 친구들의 반응에 일일이 대응하지 않았다. 졸업식을 마치고 지금의 회사에 들어오기까지 채 한 달이 걸리지 않았다. 취업 준비 기간조차 친구들보다 무척 짧은 편에 속했다.

열등감으로 점철된 질투의 뒷말이 계속 들려왔지만, 난 전혀 신경 쓰지 않았다. 어차피 시간문제였다. 난 느긋했고, 중구난방으로 계속되었던 친구들의 날 선 말들은 탄생과 소멸을 반복하다 이내 잦아들었다.

"솔직히 전 다들 왜 절 그렇게 못 잡아먹어서 안달이었는지 아무리 생각해봐도 모르겠어요."

몇 안 되는 입사 동기들과 위태로운 친밀감이 형성되었을 때 술자리에서 내 성격이 구체적으로 뭐가 문제인지 잘 모르겠다고 털어놓았다. 쉽게 바꿀 수 없는 성격 때문에 인간관계가 더 어렵게 느껴진다는 것까지만. 성격을 바꿀 생각이 없다는 진짜 속마음은 쏙 빼놓고. 동기들에게 그렇게 넋두리하듯 말하다 문득 내 성격을 단적으로 드러낼 수 있는 옛이야기가 떠올랐다. 대학교 때 여행 이야기를 하면 주변 사람 대부분 흥미롭게 들었다는 사실과 함께. 운을 띄우자 시선은 순식간에 내게 집중되었다. 적당한 선을 지키며 일하는 관계로 존재하던 이들은 내 이야기를 듣자마자 깔깔 웃었다. 웃음소리는 맑고 순수했다. 난 그저 합리적인 행동을 했을 뿐인데 그게 그렇게 신기할까 싶었지만, 남달랐던 여행의 시작과 끝을 타인의 불필요한 경계심을 낮추는 데 꽤 유용한 사례로 종종 활용한 지 오래였다.

나는 4학년 봄학기에 마침내 성적 장학금 전액의 주인
공이 되었다. 나만의 공부 방법을 정립한 후 효율성이 높
아진 전공과목에서 상대적으로 크게 우위를 점한 덕분이
었다. 조용히 티 내지 않고 남부럽지 않게 한 연애, 4년 내
내 수시로 바뀌었던 일관성 없는 취미생활이 있었지만, 의
도치 않게 갑자기 생긴 여유 자금 때문인지 모든 게 무료
하고, 시시해졌다. 마지막 여름방학. 늘어지게 낮잠을 자
고 일어난 어느 날이었다. 너무 누워있어서 허리가 아팠
다. 그때 난 불현듯 깨우쳤다. 혼자 여행을 가본 적이 없다
는 것을. 평일에 충동적으로 감행한 홀로 2박 3일 홍콩 여
행. 여행을 가겠다는 마음을 먹은 순간부터 왕복 비행기
티켓, 저렴하면서도 질 좋은 숙소 예약, 꼭 가봐야 하는 필
수 코스 관광지, 유명 맛집까지 결정하고 준비를 완료하기
까지 반나절이면 충분했다.

처음으로 혼자 떠난 해외여행에서 가장 어이없었던 건
운동화를 산 일이었다. 심지어 충동적으로 산 문제의 그
운동화는 내가 선호하던 브랜드도 아니었다. 한국에서도
얼마든지 살 수 있는 평범한 다국적 브랜드의 운동화. (내
가 살고 있던 오피스텔 신발장에는 높이만 제각각인 힐이
한가득했다. 평소 난 운동화를 거의 신지 않았다.) 귀신에
홀린 듯 매장 안으로 거침없이 들어간 이후의 일을 얘기하
자면 다음과 같다.

지나치게 합리적인 여행 경비 관리 때문에 유년을 함께 보낸 몇몇 동네 친구들에게 재미없다는 단평을 주야장천 들어왔던 난 정작 혼자 떠난 여행에서 마치 맡겨놓은 신발을 찾으러 온 것처럼 자연스럽게 행동했다. 매장 전체를 한두 바퀴 돌고 나니 중저가를 표방하던 브랜드에 어울리지 않는 고가의 운동화가 눈에 들어왔다. 틈이 날 때 빠르게 검색해보니 기능성과 디자인을 겸비했다는 평가가 많았는데, 비싼 값을 한다는 의견이 대다수였다. 역시 마음에 드는 건 일단 비싸다는 게 진리. 그렇지만 더는 망설이지 않았다. 운명의 운동화를 지체 없이 결정했고, 의외의 말까지 보탰다.

"이거 사면 혹시 서비스 없어요?"

난 점원에게 평소에 잘 하지 않는 말을 건넸다. 그래도 비싼 가격에 혹시나 해서 던져본 시답잖은 한마디였다. 결정권이 없어 보였던 점원은 바로 관리자에게 달려가 귓속말을 건넸고, 관리자가 고개를 끄덕끄덕하자 그녀는 내게 다가와 약간 큰 목소리로 '오케이!'라고 외쳤다. 점원은 내가 고른 운동화와 함께 베이지색 양말 한 켤레를 쇼핑백에 담으며 해맑은 미소와 함께 짧고 굵은 한마디를 더했다.

"마담, 서비스."

나보다 더 뿌듯한 표정을 짓는 점원의 순진무구함에 기분이 좋아졌던 게 기억난다. 난 운동화를 사는 것에 그치지 않고, 그 자리에서 힐을 벗어 던지고 새로 산 운동화로 바로 갈아 신었다. 높은 힐에서 내려오니 발걸음이 한결 가벼워서였을까. 평소 걷기를 싫어했던 나였지만, 그날만큼은 평생 기억에 남을 만큼 오래 걸었다. 황금 같은 여행 두 번째 날, 팔자에도 없던 걷기에 오후 전체를 아낌없이 투자했다. 운동화 덕분에 발이 그렇게 아프지 않았다. 기능성이 뛰어나다는 평가가 거짓은 아니었다. 번잡한 홍콩 시내에서 그리 멀지 않은 곳에 인적이 드물고, 경치가 아름다운 히든 스페이스가 있다는 걸 이미 알고 있었지만, 길치인 내가 거기까지 겁도 없이 걸어가게 될 줄은 몰랐다. 이어폰 속에서 흘러나오는 빗소리 ASMR에만 의지한 채. 자주 애용하던 구글 지도에 부러 의지하지 않은 채.

그곳은 기대보다 훨씬 더 환상적이었다. 점점 어두워질수록 난 고운 노을의 아름다운 색감에 정신이 팔렸다. 시간의 흐름에 내 모든 감각을 맡긴 채 한참이나 하늘을 바라보았다. 해가 떨어졌다는 걸 인식한 건 빗소리 ASMR이 다 끝난 직후였다. 자동재생으로 이어놓았던 남자 아이돌의 음악이 고막을 찔렀다. 현실 감각이 되살아난 난 부랴 부랴 숙소라고 생각한 방향으로 급하게 발걸음을 돌렸다. 이어폰을 주머니에 넣고 쇼핑백을 품은 채 뛰다시피 했다.

바로 전 나와 함께 했던 빗소리 ASMR과 장단을 맞추겠다는 듯 날씨가 변경되었다. 가습기 같은 느낌이 드는 잔잔한 비가 내리기 시작했고, 수분을 머금은 지면에 닿는 느낌이 높은 구두보단 운동화가 확실히 부드럽게 느껴졌다. 역시 기능성! 구매에 확신을 준 댓글 작성자들에게 감사한 마음이 들었다. 다행히 길을 많이 헤매지 않고 무사히 숙소 앞에 다다랐다는 걸 본능적으로 알 수 있었다. 비보다는 오히려 나를 감쌌던 긴장 탓에 흘러나온 땀으로 범벅이 되었다. 이미 여유 있는 여행자의 모습과는 거리가 멀어진 지 오래였으나 뛰는 내내 불안했던 마음이 이내 숨을 고르고 있었다. 고개를 들었을 때 호텔 이름이 정확하게 보이자, 그제야 난 환하게 웃었다. 호텔 이름을 나타내는 보랏빛 네온 조명이 그렇게 반가울 수가 없었다. 불안의 강을 무사히 건너오자 갑자기 낯익은 피로감이 한꺼번에 몰려왔다.

"별거 아니네."

짐짓 허세를 부려봤다. 뿌듯하고 가슴이 벅차오르는 묘

한 기분이 들었다. 고작 걷기뿐인데. 7층에 있는, 3일간 유효한 임시공간에 들어오자 감성보다 이성의 점유율이 높아졌다. 흥분은 천천히 가라앉았다. 곧 안정을 되찾은 난 새로 산 운동화의 밑바닥부터 먼저 미지근한 물로 씻어내고, 토 박스, 선포, 뱀프 부위에 골고루 묻은 젖은 흙먼지를 물티슈로 닦아냈다. 꼼꼼한 손놀림이었다. 헌 제품이 된 운동화를 박스 안에 구두를 빼고 그대로 넣었다. 잠시나마 이 정체를 알 수 없는 묘한 성취감을 만끽하고자 대충 옷을 벗어 던지고 침대 위로 날아 벌러덩 드러누웠다. 눈을 감자 히든 스페이스에서 목격했던 황홀한 노을이 떠올랐고, 이내 상황을 반전시켰던 남자 아이돌 노래까지 흥얼거렸다. 가사는 다 몰라도 멜로디는 드문드문 기억났다. 흥얼거리던 노래는 그대로 셀프 자장가가 되었다.

멀리서 새소리가 들렸던 것 같다. 눈곱이 껴서 잘 안 떠지는 눈꺼풀에 힘을 줬다. 여행지에서만 느낄 수 있는 낯선 아침의 기운이 나를 감싸 안을 때, 고개를 돌려 겨우 시계를 확인했다. 시야가 뿌옇게 흐렸지만, 짧은 시침과 긴 분침의 배열로 보아 9시 30분쯤이라는 건 금세 눈치챌 수 있었다. 비행기 탑승 시간은 오전 11시. 씻긴커녕 체크아웃 준비를 하나도 못 한 채 그대로 잠들었던 난 가져온 여분의 옷을 대충 입고 거의 이성을 상실한 사람처럼 온 힘을 다해 닥치는 대로 짐을 욱여넣었다.

소리 지를 틈도 없었다. 조용한 소음만 분주하게 공간을 채웠고, 난 기민하게 움직였다. 나가기 전에 문 앞에 서서 대용량 트렁크를 벽에 가지런히 세워놓고 잔걸음으로 화장실, 옷장, 침대 아래, 이불 속, 간이 탁자 옆까지 한 번 더 빠르게 훑어보았다. 다행히 아무것도 없었다. 휴우. 그 와중에 귀국한 다음 날 스터디 모임에 참석할 생각을 하니 신경이 곤두서는 듯했지만, 그 걱정에 앞서 비행기를 타는 게 일단 더 급한 일이었다. 복잡한 생각의 스위치는 잠시 턴 오프.

땀을 뻘뻘 흘리며 가까스로 공항에 도착했고, 비행기에 탑승해서는 바로 곯아떨어졌다. 눈을 감자마자 도착을 알리는 기내 방송이 들리는 듯했다. 어수선했던 공항에서 망설임 없이 택시를 타고 곧장 집으로 돌아왔다. 긴장이 풀리자 식욕이 한꺼번에 몰려왔고, 전날 밤부터 집에 도착할 때까지 포만감을 줄 수 있는 걸 아무것도 먹지 않은 게 기억났다. 비행기 안에서 마신 생수가 고작이었다. 그러나 아무리 배가 고파도 먼저 운동화의 안부가 궁금했다. 내게 새로운 경험을 선사해준 운동화.

"무사히 잘 왔지? 물 건너오느라 고생했어. 우리 집에 온 걸 환영해."

짐을 정리하기 위한 첫 번째 순서. 트렁크를 열고 일단 소지품 모조리 다 꺼내놓기! 방바닥에 보기 좋게 짐을 다 깔아 놓은 다음 운동화 박스부터 열었다. 내 눈에 비친 박스 안이 이상하게 허전해 보였다. 미완의 모양새였다. 이건 무슨 상황이지? 마치 처음부터 그랬다는 듯이 박스 안에 운동화는 시치미 떼고 한 짝만 덩그러니 남아 있었다. 사람들이 당황이라고 말하는 감정을 느끼는 데 30초, 기억을 되돌려서 신발이 사라졌을 수 있는 수많은 장소와 경우의 수를 되짚어 보는 데 30초, 이미 사라진 신발을 절대 찾을 수 없다고 판단하는 데 30초. 채 2분이 안 되는 찰나에 한쪽 운동화에 대한 아쉬운 감정과 사후 관리에 대한 방안을 정리했다.

내가 그 당시 겪고 생각했던 걸 말하면서도 입사 동기들이 쉽게 믿지 않을 거라는 걸 알았다.

"에이, 이 정도면 거의 소설이네. 해은 씨, 한 번밖에 안 신은 새 운동화 한 짝을 잃어버렸는데 그렇게 침착했다고?"

"그렇게 말씀하실 만해요. 제가 이 얘기하면 반응이 다 비슷했거든요."

"그래. 그건 좀 의심스럽다! 재미는 있는데, 개연성은 살짝 좀 그러네."

난 이런 반응을 예상했고, 더 웅성거리기 전에 곧바로 다음과 같은 혼잣말을 했다고 얘기하며 여유 있는 표정으로 그때를 회상했다.

"그래! 괜찮아. 운동화 한 짝이 멀쩡하게 있으니까 그냥 추억으로 남기면 되겠네. 오케이."

내가 과장된 연극 연기를 하듯 힘주어 실감 나게 말하자 다들 두 손 두 발 들었다는 듯이 탄식했다. 난 그때 버리자니 한쪽만 남은 운동화가 너무 아깝다고, 나름대로 의미 있는 물건이니까, 진짜로 괜찮다고 생각했다. 근데, 여기까지는 내 성격의 긍정적인 면을 증명하는 사건의 시작에 불과했다.

내가 여행을 다녀온 후 반쪽짜리 운동화에 대한 기억은 꽤 오래 사라진 채로 시간이 흘렀다. 타고난 긍정은 불필요한 기억을 쉽게 삭제했으나, 내가 전혀 예상하지 못한 의외의 순간에 어이없게 되살아났다.

마지막 학기를 보내고 졸업을 앞둔 마지막 겨울방학. 여행을 다녀온 후 반년이 지난 시점이었다. 이상하게 한번 넘어지면 화끈하게 다쳤던 나. 이번에는 왼쪽 다리가 보기 좋게 뚝 부러졌다. 찰과상은 말할 필요도 없는 기본이었고, 아무튼 나에게 넘어진다는 건 곧 어딘가가 부러진다는 것과 거의 같은 말이었다. 어둑어둑했던 골목길에서 제풀에 넘어진 난 다리를 쩔뚝이며 가장 가까운 편의점으로 가면서 콜택시를 불렀다. 액정이 심하게 파손되었지만, 다행히 터치 기능은 살아 있었다. 대로변에 위치한 편의점 앞으로 택시는 금세 도착했다. 평소에 야간 진료를 하는 병원을 두루 알아두었던 난 곧바로 콜택시를 타고 병원으로 가서 신속하게 치료를 받고, 목발과 함께 바로 집으로 돌아왔다. 내 인생에서 깁스와 목발은 가장 친숙한 보호구였다. 다음 날, 평소 높은 힐을 신고 다녔던 난 안전을 위해 제일 낮은 굽의 구두를 골라 신었는데, 목발에 의지한 채 한쪽 다리에만 힘을 주니 너무 어색했다. 전날 의사는 심드렁한 표정으로 아무리 빨라도 2주라고 분명히 말했다. 집을 나선 내가 짧은 한숨을 가볍게 내쉴 때 기억 하나가 반짝하고 나타났다. 그건 바로 운동화. 남아있는 운동화 한 짝이 스쳤다.

옷장 옆 아슬아슬한 빈틈에 깊이 넣어둔 운동화 박스. 집으로 되돌아가 반년 만에 운동화 박스를 열었다. 한 번밖에 신지 않아서 먼지가 눌어붙을 시간마저 부족했던 짙은 카키색 운동화 한 짝. 그대로 있었다. 서비스로 받았던 베이지색 양말과 묘하게 어울렸던 바로 그 운동화.

여행 마지막 밤 온전히 내 소유였던 옅은 흐뭇함이 그 안에 고스란히 함께 담겨 있었다. 내 긍정적인 성격을 한껏 즐기라는 듯 마침 오른쪽 발에 신을 수 있는 한쪽이었다. 잃어버린 퍼즐의 마지막 한 조각을 우연히 찾은 듯 희열에 가득 찼던 난 얼른 그 운동화를 신고 다시 길을 나섰다.

'너무 긍정적인' 이라는 소설을 쓰다

나는 독립출판으로 몇 권의 소설집을 쓰고 펴낸 작가다. 목발과 운동화 한 짝에 의지해 외출했던 해은은 내가 만들어낸 가상의 인물이다. 그러니까 방금까지 당신이 봤던 글은 이 소설의 서두에 불과하다고 말하고 있는 것이다. 긍정적인 성격이 타인에게 무조건 긍정적인 영향을 주는 것만은 아니라는 화두를 던지고 싶어서 시작한 소설인데, 본성은 어디 안 가나보다. 내가 긍정적인 사람을 상상하며 만든 해은이라는 인물조차 쓰고 나니 뭔가 어둡고 까칠한 면이 더 부각되어 보였다.

'너무 긍정적인'은 다음 소설집에 수록하려고 썼던 미완성 단편소설. 독립출판으로 20부만 집에서 직접 프린트하고 제본하는 방식으로 제작해서 몇 군데 서점에 입고했다. 놀라운 건 소량이긴 하지만 조악한 품질에도 불구하고 다 팔렸다는 사실이다. 독립출판이라서 가능하고 용인되는 기획이었다. 그때도 프롤로그에 미완성 소설이라서 수정 및 보완 가능성을 미리 밝혀둔 바 있었다. 아무래도 인물과 이야기가 다소 심심하다고 느껴졌기 때문에 그대로 정식 발표할 수 없다는 건 나도 쓰면서 내내 짐작하고 있었던 거 같다. 반드시 다른 이야기와 접목할 필요성을 느끼고 있었지만, 이런 식으로 쓰게 될 줄은 예상하지 못했다. 바로 어제까지만 해도 계획에 전혀 없던 이야기 전개 방식이다.

요즘 내 인생에서 처음 도전하는 일을 앞두고 부담이 많이 되었는지 꿈을 자주 꾼다. 지금 새로 쓰고 있는 소설의 도입부에 미완성 소설 전체를 붙여서 이어 쓰라고 한 건 꿈속 어떤 이의 목소리였다. 꿈은 쉽게 잊기 마련이므로 난 일어나자마자 목소리의 제안을 메모장으로 급히 옮겼다. 그리고 늦은 오후가 되었을 때 목소리가 하라는 대로 소설 작업을 착실하게 진행했다. 생각보다 자연스럽게 이야기가 전개되는 걸 보고 마음이 흐뭇했다. 오랜만에 느껴보는 긍정적인 찰나, 이런 순간은 반드시 기록으로 남겨두어야 한다. 놓치면 안 된다. 왜냐하면, 본디 내 성격은 조금 전까지 시치미 떼고 일인칭으로 묘사한 해은처럼 긍정적이지 못하다. 오히려 그 반대라고 하는 게 더 맞을 것 같다. 창피한 얘기지만 매사 자기중심적인 이기심으로 인해 부정적인 면이 훨씬 더 빛나는 성격이라고 해도 과언이 아니다. 힘든 상황에서 지독하게 뿜어져 나오는 냉소적인 시각은 평소에 굳이 기록할 필요가 없지만, 그 반대의 경우는 아무리 사소하더라도 기록할 필요가 있다.

약 10년 전 새벽 1시쯤 친했던 친구에게 전화가 왔던 적이 있었다. 잠이 덜 깼던 나에게 '만약 내가 사람을 죽이면 나 숨겨줄 수 있어?', '북한이랑 통일하고 일본이랑 한번 붙어야 하는데….', '너는 부모님이 학비 다 내주시잖아. 배부른 소리 하지 마!', '지금 나와서 같이 한잔하자.', '친구가 이렇게 같이 놀고 싶어 하는데 졸린다고? 너 진짜 치사하다.' 등과 같은 맥락 없는 질문과 바람으로 나를 당황하게 했다. 녀석은 확실히 취했다. 내가 정확하게 어떤 단어와 문장으로 대답했는지는 확실하게 기억나지 않는다. 모든 질문과 푸념에 일일이 반응하며 그럭저럭 넘어갈 수는 있었지만, 전쟁은 좀 그렇다는 내 말에 친구가 이를 악물고 쌍욕을 퍼부었던 것만 지금까지도 확실하게 기억이 난다. 그날 난 친구를 위해서가 아니라 나를 위해서 거짓말을 했다. 진실을 얘기하면 골치 아파질 것이 분명했으므로. 친구가 사람을 죽였다고 내게 고백했다면 아마도 주저하지 않고 경찰에 신고했을 것이다. 솔직히 고백하자면 나는 필요에 따라 거짓말을 종종 한다. 가끔 선의의 거짓말도 있지만, 대체로 나를 위해서 하는 게 사실이다. 친구를 마지막으로 본 건 그의 결혼식이었다. 현재는 인연이 끊겼다. 앞으로도 연락할 일은 없을 것이다. 서울 한복판에서 우연히 만날 확률이 더 높지 않을까.

이제부터 묘사할 인물이 진짜 나다. 거짓말하는 게 싫지만, 막상 진실을 감당하지 못해서 힘들어하는 사람. 그래서 차라리 거짓말은 하는 게 낫다고 생각하는 인물이다.

오죽했으면 소설을 쓸까. 거짓말이 허용되는 소설. 소설은 그래서 매력적이다. 소설조차도 진실해야 한다고 말하는 대문호들이 있지만, 그들도 거짓말을 했을 거라고 난 생각한다. 진실을 활자로 손실 없이 그대로 옮길 수 있는 사람은 아무도 없다. 진실이라는 것 자체가 상대적인 거니까.

아는 누나의 아들이 내가 최근에 쓴 책에 흥미를 보였다는 소식을 전해 들었다. 누나는 아들에게 나를 잘 아는 사람이라면서 소개했더니 이렇게 답하더란다. '거짓말쟁이네.'라고. 그 아이는 뉴스에서 화제가 되었던 말을 기억하고 실생활에 바로 적용했던 것이다. 누나처럼 똑똑한 아이였다. 그 말을 전해 듣고 처음에는 조금 불쾌했지만, 이내 평정심을 찾았다. 소설이라는 가상 세계, 진짜 아닌 거 맞잖아. 그러니까 누나의 아들은 진실을 꿰뚫고 있었던 거다. 더 강조해서 말하자면 소설을 쓰는 사람은 거짓말쟁이가 맞다. 진짜보다 더 진짜 같은 거짓말을 만들어내는 사람들. 강한 부정은 강한 긍정과 일맥상통하는 거 아니었던가. 그렇다면 거짓말하는 사람이 나쁜 것일까. 모르겠다.

얼마 전에 한 정치인이 그런 말을 했다. 위선이 악보다 더 나쁜 것이라고. 쉽게 얘기하면 착한 척하는 나쁜 사람과 그냥 나쁜 사람의 차이라고 말해두면 이해가 가려나. 나는 둘의 차이가 거의 없다고 생각하는 편이다. 결국 둘다 나쁜 사람이니까. 비교 우위를 구분하는 게 큰 의미는 없는 것이다. 나와 인연을 맺게 된다면 악인이나 위선자나 고통스러운 건 매한가지다. 정치인은 이어서 악한 사람보다 위선적인 사람을 피하기가 더 어렵다고 말했지만 이마저 동의하긴 어려웠다. 그렇다면 난 어떤 사람에 가까운 걸까. 아주 미묘한 차이를 염두하고 말하자면 난 위선자에 가깝다. 위선자로 사는 게 그나마 마음이 편하다. 오히려 적당한 위선은 삶을 윤택하게 만든다. 어릴 적 그나마 형편이 좋았던 시절, 나를 맡았던 수학 과외 선생에게 있는 그대로 말한답시고 화장이 과하다고 말했다가 분위기가 급격하게 차가워졌던 게 떠오르곤 한다. 나를 경멸의 시선으로 바라보던 선생의 눈빛은 솔직했다. 필요하다면 거짓말을 하는 게 신상에 좋다고 믿게 된 최초의 기억이다. 그 이후로 상황에 따라서 거짓말을 했을 때 좋은 결과를 가져왔던 경우도 꽤 많았다. 그런 사고방식으로 살아왔던 내가 완성도 높은 위선을 마주할 기회가 갑자기 찾아왔다. 내 신념을 내가 뒤집는 방식으로.

내게 몇 차례 글쓰기 강의 제안이 온 적이 있었다. 그때마다 거절했다. 대외적으로는 글쓰기를 가르칠 만한 내공이 없다고 말했던 게 전부였다. 그러나 거절의 진짜 이유는 누구에게도 솔직하게 말하지 않았다. '수강생이 너보다 더 잘 쓰고 더 많이 알면 어떻게 하려고 그래?'라는 마음의 질문에 나는 '그래, 맞다. 나나 잘하자.'와 같은 답으로 일관했다. 그저 마음속으로만 자문자답했다. 타인과 비교, 질투하며 스스로 힘들게 만드는, 내 콤플렉스가 적나라하게 드러나는 이 자문자답 말고도 내가 글쓰기 강의를 할 수 없었던 이유는 많았다. 글쓰기뿐만 아니라 무엇이든 누굴 가르쳐서 성장시킨 경험이 아예 전무한 것, 조금만 긴장하면 혀가 급격하게 짧아지면서 누구보다 빠르게 식은땀을 흘리는 것, 공저를 포함해 대여섯 권의 책에 내 소설이 담겨 있는 게 전부였을 뿐 타인의 시선을 잡아둘 만한 변변찮은 이력도 없다는 것까지.

그랬던 내가 어제 친하게 지내고 있는 서점 사장 T의 제안을 바로 수락한 것이다. 이젠 상황이 달라졌다. 남이 아닌 바로 나라는 사람이 내린, 이 결정에 대해서 자세하게 말해보자.

T와 가까워진 건 우연이었다. 작년 크리스마스 때 서점 투어의 마지막 코스로 그의 서점에 놀러 가지 않았다면, 그때 T가 하필 내 책을 읽고 있지 않았다면, 처음 만난 자리에서 내가 이런저런 하소연을 하고 또 T가 묵묵하게 들어주지 않았다면…. T는 나에게 강의를 부탁하지는 않았을 것이다. 사람 일은 모른다. 그런 T에게 한 문장으로 된 문자가 도착했다.

[작가님, 혹시 글쓰기 강의를 해보실 생각 있나요?]

조심스러움이 느껴지는 말투였다.

[아, 안녕하세요. 사장님. 너무 갑작스럽긴 한데, 제게 정식으로 글쓰기 강의를 제안하시는 건가요?]

[본론부터 바로 말씀드리면요. 제가 이번에 글쓰기 클래스를 한번 진행해보려고요. 작가님이 딱 생각나서요. 다른 분도 많지만, 작가님은 전업으로 활동하신다는 얘기도 하신 게 기억나서요. 클래스를 진행해주신다면 제가 조금이나마 도움을 드릴 수 있을 것 같아서요.]

글쓰기 강의는 자신 없었기에 잠시 멈칫할 수밖에 없는 제안. 내가 곧바로 문자로 답을 하지 않으니 짧은 침묵이 흘렀다. 대화가 뚝 끊기는 것 같은 불길한 예감에 내가 더 급한 마음이 들었다. 사장에게 통화할 수 있냐는 답을 곧바로 보냈다. T는 자신의 핸드폰 번호를 문자로 남겼다. 내 번호를 보내려다 말고 통화버튼을 눌렀다.

'여보세요?'

'안녕하세요! 작가님, 바로 전화주셨네요. 문자로 말씀드렸다시피 소설쓰기 클래스를 계획하고 있는데, 작가님이 제일 먼저 생각났어요.'

'네, 사장님. 잘 지내고 계시죠? 저 강의하고 싶어요.'

내 마음을 나보다 내 혀가 더 빨리 눈치채고 서두른 기분이었다. 심지어 글쓰기 클래스라고 문자를 보냈던 T가 통화하면서는 바로 소설쓰기 클래스라고 빠르게 말을 바꿨음에도 불구하고. 난 자신 없어도 클래스를 맡고 싶었다. 시간이 해결해주리라 믿었다. 강의를 '할 수 있다'가 아니라 '하고 싶다'고 급하게 의중을 내비친 건 무의식 속에 내 의지가 강력했다는 증거였다. 전화하는 도중에 소환된 서점에 대한 기억도 나쁘지 않았다. 처음 서점에 놀러 갔을 때 T가 바쁘게 손님을 응대하고 있던 모습을 응시하다가 무의식적으로 고개를 돌렸을 때, 서너 명의 사람들이 마주 앉아 아주 온화한 표정으로 채색을 하고 있던 게 떠올랐다. 아마 그림 그리기 클래스였을 것이다. 자유로운 분위기에서 순조롭게 진행되고 있었다.

어쨌거나 사장은 적절한 순간에 나에게 제안을 했다. T는 자신의 제안을 내가 거부할 수 없는 상황이라는 걸 눈치챈 듯, 즉답하는 내게 반색하며 직접 만나서 얘기를 나누자고 하면서 날짜와 시간을 정하고 전화를 끊었다.

강의하고 싶다는 말이 왜 나왔는지는 나 자신이 가장 잘 알고 있었다. 먹고살고자 하는 기본적인 욕구에 남들보다 더 간단히 흔들렸기 때문이다. 내가 절대 하지 않을 것이라 생각했던 행동을 하는 나 자신이, 내가 절대 이해하지 않을 것이라고 자신했던 타인의 가치관을 이해하고 있는 나 자신이 괜히 미웠다. 경제적으로 점점 어려워지고 있는 내가 차선책으로 택하려고 했던 건 공모전 도전, 서점 근무, 자서전 대필 정도가 있었다. 물론 선택지 안에 글쓰기 강의도 존재했지만, 기타 의견 정도에 있을 정도로 흐릿했을 뿐이었다. 그런데도 T의 제안에 그토록 빨리 반응한 건 조금 놀라운 일이긴 했다. 내가 생각한 것 이상으로 막다른 길에 몰렸다는 증거였다. 글쓰기 강의를 하지 않겠다고 확언했던 건 소용없었다. 지나간 신념이었다. 내 책을 사서 읽은 독자들은 극소수에 불과했고, 저조한 판매와 불규칙한 정산 주기로는 최소한의 생계도 꾸려 나갈 수 없었다. 흐릿하게 보였던 통장 잔고의 바닥이 선명하게 보였다. 고작 몇 권의 책으로 얻은 이기적이고 오만하기 짝이 없는 자의식, 자신감, 자존심도 눈 녹듯 사라져갔다. 초라했다. 다른 몇몇 작가처럼 신작을 내면 전작이 주목할 만큼 다시 팔리는 현상은 아쉽게도 나에게는 일어나지 않았다. 한마디로 모든 게 다 궁핍한 날들이 시작된 것이다.

그렇다. 다시 말해 가장 큰 문제는 가난이었다. 선택권이 별로 없었다. 내가 먼저 강사 자리를 알아보기 전에 제안을 받았고, 마음만 고쳐먹으면 가장 쉽게 접근할 수 있는 게 글쓰기 강의였다. 글쓰기 강의는 내가 당장 돈을 벌수 있는 수단으로서 반드시 통과해야 할 첫 번째 관문이었다. 제안을 수락한 이상 어떤 망설임의 싹도 싹 없애버려야 했다. 원활한 글쓰기 강의! 나에게 그것만이 살길이었다. 그러나 크게 두 가지 생각의 장벽이 나를 가로막고 있었다.

우선 글쓰기를 가르치고 배우는 것이 가능한 것인가. 이에 대한 내 생각을 따로 정리할 필요가 있었다. 원래 나는 불가능하다는 쪽에 가까운 견해를 갖고 있었다. 『페터 비에리의 교양수업』이라는 책을 보기 전까지 난 교육과 교양의 차이도 모르는 무식한 인간이었다. 모든 공부는 혼자 하는 게 당연하고, 선생이나 책은 그저 도움이 되는 도구에 지나지 않는다는 과격한 발상의 소유자였다. 인간을 교육으로 교화시키고 성장시킨다는 것은 사실상 말도 안 되는 일이라고 여겼다. 특히 난 글쓰기야말로 혼자서 해 나가야 하는 유일무이한 분야라고 믿었다. 난 편협한 시각의 소유자에 불과했지만, 인간의 자유 의지를 더 신뢰한다는 그럴듯한 핑계로 방어하고 있었던 것이다. 쓰고 펴낸 몇 권의 책에 대한 긍정적인 피드백만을 취해 나 정도면 꽤 잘 쓰는 거라는 착각에 빠졌다. 심지어 아무런 결과물이 없는 예비 저자 시절에도 글쓰기 클래스를 고의적으로 듣지 않고, 글쓰기 강의의 효능을 애써 부정했다. 사석에서 글쓰기 강의를 오래 하고 있던 동료 작가가 했던 말도 마음에 걸렸던 게 사실이다. 도대체 글쓰기를 가르치는 게 가능하냐고, 무엇을 가르치는지 궁금하다고, 자신만의 색이 분명한 글쓰기 강의를 한다는 건 너무 어려운 일 아니냐고 물었을 때, 그가 한 말이 내 선입견을 강화했다. 그냥 적당히 시간 주고 혼자서 알아서 쓰게 해주고 대충 몇 마디 해주면 됩니다, 라고 했던 그의 말. 그때만 하더라도 나는 아무리 어려운 일이 닥친다고 하더라도 글 쓰는 걸 가르치는 일은 없을 거라고 자신했다. 이제 소설쓰기 클래스를 운영하려면 내가 평소에 갖고 있던 시각과 선입견을 다 뒤집어야 한다. 내가 강사가 되기로 한 이상 소설쓰기 클래스로 반드시 누구라도 글을 쓸 수 있고, 소설을 완성할 수 있도록 돕는 게 가능하다는 것을 믿어야 했고, 그렇게 되도록 준비해야만 했다.

또한 아이러니하게도 난 독립서점에 대해서 지나친 환상을 품고 있었다. 말 그대로 독립적으로 활동하는 작가들이 가장 안전하게 독자들과 만날 수 있는 공간이라고 여겼다. 환상이 깨지는 데는 오래 걸리지 않았다. 알면 알수록 너무 많은 이해관계가 뒤섞여 있어서 머리가 아팠다. 태생적으로 반골 기질이 풍부했던 내가 암묵적으로 합의되어 독립서점 안에서 광범위하게 이뤄지고 있는 글쓰기 클래스에 대해서 반감을 갖게 된 건 자연스러운 순서였을지도 모르겠다. 1세대 독립서점들은 이미 고정적인 팬층을 확보하고 있었는데 그렇게까지 성장하는 데는 특정 작가의 지분이 적지 않았다. 특정한 작가에게 특정한 서점이 홍보물량 공세를 적극적으로 지원하는 일이 비일비재했고, 이 단순한 전략은 의외로 서점의 색깔을 선명하게 하는 데 큰 도움이 되었다. 서점마다 알게 모르게 지원하는 작가가 다 따로 있었다. 방법은 간단했다. 계속 홍보를 해서 상위권 판매를 유지하는 것. 서점 운영자가 마음만 먹으면 한 작가의 스타성을 발굴하는 게 아주 어려운 일은 아니었다. 비슷한 시기에 여러 종류의 책이 입고되더라도 서점 대표의 선택을 받은 몇몇 소수의 책에만 N차 재입고의 기회가 주어졌다. 대형서점과는 다른 취향으로 서가를 꾸린다는 취지는 서점 대표들의 선택에 독자들이 알아서 정당성을 부여해주는 효과를 낳았다. 취향이라는 말로 가린 제한적인 입고 절차는 소위 말하는 잘나가는 작가를 탄생시켰다. 나름대로 치밀한 전략과 전술의 바탕 위에서 성장한 소수의 작가는 그들만의 리그에서 이미 왕으로 군림했다. 규모가 그리 크지 않은 새로운 업계가 열리면 트렌드를 이끌어갈 스타가 필요한 건 어쩌면 필수 사항이었는지도 모른다.

내가 가장 싫었던 건 그들이 강의 시장을 장악하면서 업계의 관행과 대다수에게 통용될 수 있는 일반적인 절차를 서점에만 유리한 쪽으로 재편한 것이다. 글쓰기 강의, 독립출판 강의를 진행하면서 거침없이 세력을 넓혀가며 틈새시장을 공략해 성공한 독립서점을 뒤따라 비슷한 콘셉트의 서점들이 우후죽순으로 생겨났다. 클래스에서 책을 만드는 과정은 생각보다 간단했다. 책의 만듦새는 점점 훌륭해졌지만, 피드백이 반영되는 만큼 비슷한 주제, 소재를 담고 있고 비슷한 분량으로 묶어낸 책들이 다품종 소량 생산의 형태로 시장에 쏟아져 나왔다. 독립서점의 수가 가파르게 상승하는데도 불구하고 창작자들의 열기를 모두 소화하기에는 턱없이 부족했다.

전국적으로 독립서점이 몇 개 되지 않았던 시절, 클래스가 활성화되지 않던 시절만 하더라도 날 것의 느낌이 살아 있는 독립출판 책들이 많았다. 들리는 바에 의하면 입고도 어렵지 않았다고 한다. 서점 수도 적고, 독립출판으로 뭔가를 만들어내는 사람들의 수 자체가 그리 많지 않아서 가능했을 것이다. 이제는 책을 만든다고 해도 자신의 책을 입고하기 위해서 SNS에서 홍보하고 주요 서점을 발로 뛰어다녀도 판매는 고사하고 입고하는 것 자체가 쉽지 않아졌다. 난 이런 비대칭의 상황을 더 극단적으로 가속한 게 글쓰기 클래스라는 생각을 하지 않을 수 없었다. 글쓰기 클래스를 미끼로 입고 과정의 우위를 독점하는 형태. 받아들여야 했다. 내가 그토록 색안경을 끼고 봤던 업계에 뛰어들 생각이라면 흙탕물을 뒤집어쓸 각오도 해야 하며, 적어도 그들과는 다른 클래스로 차별화하고 싶었다.

크게 두 가지 화두에서 막혔던 난 결심했다. 내가 나를 속여야 하는 순간이 다가온 것이다. 내가 가지고 있던 의심을 확신으로 바꾸려면 바로 나 자신까지 완벽하게 속이면 될 일이다. 평소 내가 잘하던 짓인 합리화도 극대화할 필요가 있었다. 난 누구보다 글쓰기 강의를 잘할 자신이 있다고 이미지 트레이닝을 해야만 했다.

솔직히 말해서 여러 편의 소설이 완성되기까지 어떤 과정을 거쳤는지 다 기억할 수가 없었다. 너무 막막했다. 기억할 수 없다면 내가 쓴 소설들이 미완성이었을 때의 흔적을 통해 과정을 유추해서 시각화해야만 했다. 고작 한 문장의 형태로 존재했던 글감에서 시작해서 여러 편의 단편소설이 되었다는 사실만은 진실이니까.

소설쓰기 강의를 결정한 후 마음의 정리를 마친 다음 내가 가장 먼저 한 건 T에게 바로 다음 주에 만나자고 약속을 정한 일이었다.

"작가님, 준비 진짜 많이 해오셨네요."

"아무래도 처음 하니까 긴장이 되네요."

"그냥 드리는 말씀이 아니라 생각보다 훨씬 더 많이 준비해 오셔서 좀 놀랐어요."

"그 정도까지는 아닌데…."

어색하게 웃으며 공식적인 첫 회의를 마쳤다. T는 관대했다. 어설프게 준비한 기획안을 보고서도 칭찬을 아끼지

않았다. 집으로 돌아와 본격적인 소설쓰기 클래스 준비에
돌입했다. 기획안 쓰기 다음으로 내가 했던 건 과연 어떤
말을 해줄 것인가에 대한 고민이었다. T에게는 내가 소설
을 쓰며 느꼈던 것을 전달하는 것만으로도 도움이 될 수
있을 거라고 자신만만하게 말했지만, 사실 막막했다. 우선
내가 좋아하는 작가들의 육성이 담긴 방송 위주로 선별해
서 계속 듣고 또 들었다. 최근 소설집을 쓰고 펴낸 이후에
한동안은 걸으며 뛰며 봄기운이 물씬 느껴지는 음악 위주
로 들었는데 당장 플레이 리스트를 변경하였다. 작가 강
연, 소설가 강의 등 몇 가지 키워드만으로도 볼 만한 영상
이 넘쳐흘렀다. 계속 듣고 또 들었다. 단순히 작가의 신작
을 홍보할 목적으로 제작된 영상, 신년특집으로 마련된 작
가의 심층 인터뷰 영상, 글 잘 쓰는 13가지 방법, 작가노트
10문 10답, 당분간 보기 힘든 작가의 대형 강연, 책을 왜
읽어야 하는가와 같은 질문형 섬네일이 달린 영상 등 골고
루 포진한 영상들을 계속 보고 듣고 따라 했다. 단순히 이
해하는 수준을 넘어서 마치 나란 인간 자체가 그 말을 할
수 있을 정도로 체화하려고 애를 썼다. 소설가들이 하는
말들은 다른 것 같으면서도 묘하게 비슷한 구석이 있어서
많은 양의 영상도 핵심만 추리면 몇 가지로 줄일 수 있었
다. 그중에서도 너무 당연하게 느껴지고 고개가 끄덕여지
는 건 많이 읽고 많이 써라, 처럼 현재까지도 유효한 말. 영

상을 반복해서 시청하면서 따라 해봤다. 그렇게 어렵게 느껴지지 않았다. 그들의 말을 대신 내뱉고 있는 나도 곧 주목받는 소설가 혹은 강사가 될 수 있을 것만 같은 꿈이 생겼다.

두 번째 회의에서 나는 첫 강의를 어떻게 진행할지 준비해온 자료를 브리핑하며 목소리를 높였다. 체계적인 수업을 위해서 셀프 인터뷰지를 미리 전달해서 작성하게 하고, 그걸 바탕으로 앞으로 소설을 어떻게 쓸지 기본적인 정보를 분석하는 작업으로 시작할 거라며 의기양양하게 말했다. 그때 T가 아주 간단하게 회심의 일격을 날렸다.

"작가님, 그런데요. 만약에 수강생들이 과제를 안 해오면 어떻게 하실 건가요?"

"네?"

T는 아주 간단히 나의 자신감을 무력화시켰다. 과제를 해오지 않는 수강생. 클래스를 준비하면서 그건 한 번도 그려본 적이 없던 상황이었다. 플랜 B를 생각하지 않고 꽉 찬 플랜 A만 생각하고 준비해 말문이 막혔다. T는 슬슬 발동을 걸었다.

"왜냐면요. 제가 클래스를 많이 진행해봤는데요. 생각보다 과제를 안 해오시는 분들이 꽤 있어요. 당연히 참가비는 먼저 받거든요. 그런데도 중간에 포기하시는 분들이 은근히 많아요."

"제가 거기까지는…. 어떻게 대처할지 한번 다음 회의 때까지 생각해서 올게요."

원래는 회의를 마치고 서점에서 책을 읽고, 글을 쓰고, 강의에 활용한 선배 소설가들의 말을 정리할 계획이었다. 그런데, T의 말을 듣고 나니 앞날이 험난할 거란 예감이 강하게 들었다. 갑자기 마음에서 걱정이 차지하는 비율이 급격하게 높아졌다. 정신이 산만해지고 빨리 자리를 뜨고 싶었다.

"작가님, 벌써 가시게요?"

"아, 네. 제가 오늘 컨디션이 썩 좋지 않네요. 다음 주에 또 뵐게요. 잘 준비해서 오겠습니다."

"너무 걱정하지 마세요. 잘하실 거예요. 작가님, 조심히 들어가세요."

T의 따뜻한 말에도 불구하고 지하철 승강장까지 내려가는 발걸음이 무거웠다. 환승역인 수원역까지 가는 길 내내 난 최악의 상황을 상상하고 있었다. 과제를 안 해온 수강

생은 약과였고, 어떻게 이런 소설을 쓰고 강의하실 생각을 하셨냐고 상냥하게 묻는 수강생, 내 말을 계속 자르고 다른 수강생의 글을 비난하는 수강생, 첫날 가장 열심히 할 것 같이 의지를 불태웠다가 다음 강의부터 안 나오는 수강생…. 수강생의 행동은 내가 통제할 수 없는 변수일 것이다. 그래서 더 오싹했다. 말문이 막힌 다음부터 식은땀을 줄줄 흘리는 내 모습이 떠올랐다. 한없이 초라해 보이고 외면하고 싶은 모습. 독자들과 만나는 북토크 때에도 그렇게 심하게 긴장한 적은 없었는데, 강의 때는 그럴 수도 있겠다는 상상을 하니 미칠 것 같았다. 아예 수업해본 적이 없으니 어쩌면 당연한 걱정일 수도 있었다. 수강생이 과제를 안 해오면 어떻게 할 거냐는 T의 말 한마디에 나의 4주차 커리큘럼이 다 무너져내렸다. 내가 내 노력을 신뢰하지 못했다. 환승역에서 1호선으로 갈아타러 계단을 올라갔다가 전철을 기다리는 사이에 갑자기 동료 작가인 S가 떠올랐다. 시계를 보니 오후 다섯 시가 조금 넘은 시각이었다. S의 퇴근 시간이 얼마 남지 않았다. 급하게 통화버튼을 눌렀다.

'작가님, 글쓰기 강의 들어보신 적 있죠?'

인사도 생략하고 용건을 꺼냈다.

글쓰기 강의는 누가 해야 하는가

'아! 작가님, 오랜만이에요.'

'다름이 아니라 제가 소설쓰기 클래스를 준비하고 있거 든요.'

'오, 축하해요! 근데, 작가님 강의는 안 한다고 하지 않 았나요?'

'그게 그렇게 됐습니다. 상황이 많이 달라져서….'

'제가 뭐 도와드릴 게 있나요?'

'네, 네, 괜찮으시면 제가 간단하게 몇 가지 여쭤보고 싶 은 게 있어요.'

S는 꽤 긴 시간 글쓰기 클래스 과정을 이수한 뒤에 성공 적으로 책을 냈다. 소설쓰기 강의, 아니 글쓰기 강의가 어 떤 식으로 진행되는지 간접적으로라도 알아보기에 적합한 대화 상대였다. 그는 마침 저녁 약속이 없다며 흔쾌히 약 속을 허락했다. 난 평소 자주 가던 카페에 들러 어떤 걸 물 어볼지 질문을 정리해봤다.

[글쓰기 클래스가 진행되는 동안 가장 빈번하게 일어나 는 일은 뭔가요?]

[작가님이나 강사님이 가장 많이 했던 말은 뭔가요?]

[작가님이 글쓰기 강의 들으면서 듣기 잘했다고 생각했 거나 돈이 아깝다고 생각한 인상적인 순간이 있었나요?]

[글쓰기 클래스가 진행되는 동안 본격적으로 글을 쓰는 시간은 얼마나 되나요?]

강의를 해본 적도 들어본 적도 없으니 질문의 수준도 일차원적이었다. 이렇게 얄팍한 질문으로 클래스의 본질을 꿰뚫기는커녕 최소한의 유의미한 정보라도 수확할 수 있을까. 나는 애꿎은 엄지손톱만 물어뜯고, 머리칼만 계속 쓸어 넘겼다.

"작가님, 뭐 하고 있어요?"

뒤에서 경쾌한 S의 목소리가 들렸다.

"어, 일찍 왔네요?"
"일찍 끝났어요. 일단 저녁 먹으러 갑시다."
"커피는요?"
"점심을 대충 먹었더니 너무 배고파요. 일단 배부터 채우고 얘기해요. 괜찮죠?"

S와 저녁을 먹으며 준비한 질문을 했다. 우려하던 일이 발생하고 말았다. S가 성실하게 답을 했음에도 불구하고 이야기가 여러 갈래로 풍성하게 뻗어 나가지 못해 클래스

실황을 재현하는 데 실패하고 말았다. S가 1년 가까이 들었던 강의 시간에는 주로 무슨 일이 일어나는가에 대해 스케치하는 정도만 겨우 알아낸 수준이었다. S는 수강생들과 강사 모두 서로의 글에 대해 의견을 나누는 것만으로도 시간이 모자랄 지경이라 글은 미리 써오거나 과제로 해결한다고 말했다. 불꽃 튀는 신경전이 벌어지기도 한다고 했다. 내가 가장 싫어하는 상황이었다. 갈등과 대립. 더 막막해졌다. S와의 대화를 통해서 자신감이 붙기는커녕 이 클래스를 내 욕심대로 진행하는 게 맞는지 의문이 들었다. 클래스를 운영함으로써 실전을 경험해보기 전까지는 간접적으로 아무리 많은 얘기를 들어도 소용이 없을 듯싶었다. S에게는 감사하다는 말과 함께 약소하게나마 기프티콘으로 성의를 표했다.

SNS에 나의 불안한 심경이 드러나는 글을 자주 남겼다. 감정을 있는 그대로 표출하는 게 최선책은 아니라는 것을 알고 있었지만, 내가 고민하고 나름의 노력을 하고 있다는 걸 익명의 예비 수강생들에게 어필하고 싶은 마음이었다. T가 그런 나의 불안을 감지했는지 본격적으로 클래스가 진행되기 전에 서점 단골손님에게 모의 강의를 먼저 해보는 게 어떻겠냐고 제안했다. 난 안도의 한숨을 내쉬었다.

미완성된 강의를 선보일 약속을 늦은 저녁 시간으로 잡았다. 걱정되는 마음은 잠시 내려두고 좀 이른 시간에 서점에 갔는데 언제나 그랬던 것처럼 손님이 여러 명 있었다. 항상 만석에 가까운 T의 서점. 약속 시각이 다 되어 가는데도 T가 말을 걸지 않았다. 잠시 기다리라는 눈빛과 표정으로 대신했을 뿐이다. 내가 왔을 때 자리를 차지했던 몇 명의 손님이 나가고, 그 자리에 새로운 손님이 들어찼다. T는 무척 바빠 보였다. 누구도 나에게 인기척을 하지 않았다. 하긴, 내 얼굴을 아는 사람은 T 외엔 없을 테니 크게 신경 쓰지 않았다. 약속된 시간이 다 되어 손님들이 거의 다 빠져나가고 두 사람이 남았을 때 마침내 T가 말을 걸었다.

"작가님, 아까 말씀을 드려야 했는데 단골손님께서 급한 일이 생기셨대요."

실망과 안도가 교차했던 내가 말했다.

"아아…, 그렇군요. 할 수 없죠. 그럼 모의 강의는 없던 걸로 해야 하나요?"
"아니요. 제가 대신 들으면 될 것 같아요. 저도 작가님 강의 궁금했거든요."
"네?"

내 예상과는 전혀 다르게 상황이 전개되었다. 회사에 다닐 때도 업무 전화를 밖에 나가 따로 받을 정도로 낯가림이 심한 나였기에 갑작스러운 T의 제안은 나를 당황하게 했다. 커피를 마시다 사레가 들 뻔한 걸 겨우 참아냈다.

"단골손님보다 저에게 강의 연습하시는 게 더 나을 수도 있죠. 처음 뵙는 분보다는….."

"그럴까요?"

"지금부터 첫 강의라고 생각하시고 저에게 한번 말씀해 보세요. 이제 손님도 거의 다 빠졌고 실제 강의도 이런 분위기에서 진행될 테니까 딱 좋은 것 같아요."

T의 말이 맞았다. 아무래도 아는 사람에게 하는 게 낫지 싶었다. 많은 작가의 말들이 빼곡하게 담긴 영상과 책을 내 나름의 방식으로 소화하고 길어 올린 그 시선을 바탕으로 해서 내 소설을 분석하는 걸 보여주는 형태의 강의를 진행했다. 꼰대의 위험성이라는 주제를 효율적으로 드러내기 위해 내가 취한 서술 방식, 일상에서 잊히지 않았던 한순간에서 시작된 소설, 소설을 쓰다 내가 잘못했던 것들이 떠올라 나를 악한 인물로 묘사했던 경험, 책을 낼 거라 생각하지 않은 채 일상에서 썼던 한 문장이 소설로 확장되었던 경험, 1인칭 시점으로는 아쉬운 마음이 들어 3인칭을

혼용했던 소설 등을 예를 들어서 설명하자 T는 고개를 끄덕이며 무척 만족한 표정을 지었다.

"오늘은 여기까지만 하시죠. 고생 많으셨어요."

"이런 식으로 클래스를 진행하면 괜찮을까요?"

"저번에 말씀드렸던 돌발 상황 정도만 잘 대비하시면 충분히 좋은 강의가 될 거예요. 저만 믿고 자신감 갖고 하셔도 됩니다."

"알겠습니다. 그럼 전 사장님만 믿고 마지막까지 잘 준비해 보겠습니다."

그때였다. 창가에 나란히 앉아 있던 두 사람이 일어났다. 한 사람은 인사도 없이 바로 짐을 챙겨서 나갔고 나머지 한 사람은 내 눈을 쳐다보며 T에게 말을 건넸다.

"모의 강의 잘 들었어요. 저 이만 갈게요."

전혀 모르는 얼굴이었다. 내가 대답하기 전에 T가 멋쩍게 웃으며 그녀에게 말했다.

"해은 씨, 들으셨어요?"

"그럼요. 작가님 목소리가 이렇게 큰데 어떻게 안 들을 수가 있어요."

"우리 작가님, 강의 잘하시죠?"

"강의가 흥미진진해서 제가 하려던 일을 다 끝마치진 못했어요. 그래도 후회는 없을 정도로 좋았어요."

"다음에 또 놀러 오세요. 아니면 곧 클래스 오픈하니까 한번 수강해보세요."

"네, 한번 생각해보죠."

단골손님으로 보이는 그녀는 T와 몇 마디 나누다 나에게 가벼운 눈인사를 건네고 서점을 나섰다. 밖에서 기다리고 있던 이와 팔짱을 낀 채 발걸음을 옮겼다. 조금 전까지 내 모의 강의에 힘을 실어준 사람이 내 시선에서 금방 사라졌다.

"누구예요?"

"단골손님이에요. 작가님, 재밌는 얘기 해줄까요?"

"뭔데요."

"저분께도 작가님 모의 강의 들어보시는 거 제안했었어요. 그때는 요즘 너무 많이 바빠져서 시간을 맞추기가 어렵다고 정중하게 거절하셨거든요."

"진짜요? 괜히 아쉽네요."

"오늘 안 그래도 섭외에 실패해서 작가님께 어떻게 말해야 할지 걱정이 많았어요. 그런데, 저분이 딱 오신 거죠. 너무 반가워서 오늘 강의 들으면 어떻겠냐고 말씀드렸는데 굉장히 당황하시더라고요. 대신 다른 제안을 해주셨어요. 제가 모의 강의를 들으면 본인도 옆에서 모른 척하고 잘 들어보겠다고요."

"독특하신 분이네요."

"어때요? 재미있죠? 오늘 일석이조였다고 생각해요."

"생각해보니 그러네요. 저도 사장님께 강의하니까 이 정도로 편하게 말할 수 있던 것 같아요. 근데, 아까 저분 이름이 뭐라고 하셨죠?"

"해은 씨입니다. 가운데 글자가 혜가 아니라 해. 바다 해예요."

"사장님은 단골손님에 대한 정보가 빠삭하시네요."

"그럼요. 기억해야 합니다. 무조건!"

"아무튼 제가 제대로 들었던 게 맞네요. 이상하게 어디서 꼭 들어본 이름 같아서요."

"혜은은 몰라도 해은이라는 이름은 그렇게 흔하진 않은데 어디서 들으셨을까요?"

T가 호기심 가득한 표정으로 내게 캐물었다.

"아닙니다. 착각이겠죠."

착각이 아니었다. 해은이라는 이름은 내 소설에서 자주 쓰던 여자의 이름이었다. 그녀의 이름이 해은이라는 걸 알게 되니 그녀의 성격, 행동, 말투가 내 소설 속 어떤 인물로 치환되어 자연스럽게 연상되었다. 내가 상상으로 창조한 인물이 내 눈앞에 나타난 것이라고 여기니 뭔가 더 짜릿했다. 소설 속 허구는 진짜 같지만, 진짜와 같으면 안된다. 진짜는 아니라고 상상하고 쓴 인물이 거짓말처럼 진짜 형상화된 것 같았으니까.

"그리고, 작가님 재밌는 제안하고 싶은 게 또 하나 있는데 들어보실래요?"

"또 뭐가 있을까요?"

난 가볍게 웃으며 대답했지만, 아까와는 달리 불안감이 치고 들어왔다.

"작가님, 제가 생각해보니까 있죠. 작가님 소설은 일상에서 시작되는 소설이잖아요. 지금까지 쓴 작가님의 소설을 다 읽어봤을 때도 그런 점이 많이 느껴졌거든요. 이번에 클래스를 진행하는 과정을 소설로 극화시켜 보는 건 어때요?"

이건 또 무슨 소린가 싶었다.

"재밌지 않나요? 클래스에 대해서 자신감이 너무 없던 작가가 어쩔 수 없이 클래스를 진행해야 하는 상황을 마주하면서 우여곡절 끝에 성장하는 이야기가 담긴 소설. 그 과정을 쓰면 생생한 일상 묘사가 들어갈 테니까 수강생들에게 아주 좋은 교재가 될 수도 있지 않을까요? 그야말로 살아 있는 소설!"

"재미는 있을 것 같은데…. 제가 소설을 그렇게 빨리 쓰는 편이 아니라서요."

"제가 도와드릴 테니까 한번 같이 써봐요!"

T는 신이 나 보였다. 난 잇따른 협업으로 지친 상태였다. 갈수록 내가 감당할 수 없는 일이 계속 일어날 거란 예감이 들었다. 경제적으로 어려운 상태라서 수락한 클래스. 적극적으로 임하기 위해서 기존의 내 생각을 변화시키고 있는 가운데 전혀 예상치 못한 변수가 또 끼어들었다.

"사장님, 일상 소설은 기존에 제가 쓴 것만으로도 예시는 될 수 있어요. 그보다는 강의를 철저하게 더 준비하는 게 좋지 않을까요?"

"에이, 오늘 보니까 강의는 걱정 없겠어요. 저는 우리 클

래스가 다른 클래스하고 차별화되는 지점이 있으면 좋겠
어요. 이보다 더 완벽할 수는 없는 거죠. 클래스를 준비하
는 과정을 소설로 쓴다? 이런 건 본 적이 없거든요."

　나는 순식간에 울상이 되었다. T는 이미 결정을 내린 듯
보였다. 자신의 제안을 거절하면 클래스 자체를 취소해버
리겠다는 듯 결기 어린 눈빛으로 나를 압박해왔다. T의 제
안을 수락할 수밖에 없었다.

독립출판 작가를 창조한 소설가 T

안녕하세요, 여러분. 소설 쓰는 T라고 합니다. 지금 수원 근처에서 책방을 운영하고 있습니다. 이렇게 지면을 통해서나마 만나게 되어 정말 반갑습니다. 비록 지금은 글로 인사드릴 수밖에 없는 상황이라 다소 아쉬운 면도 있지만, 실제로 이 소설은 제 클래스를 수강하게 되면 볼 수 있을 테니까 많은 신청 부탁드립니다. 이렇게 가정하고 한번 말씀을 드려봅니다. 여러분들이 지금 제 앞에서 클래스를 처음으로 듣고 있다고 설정을 하는 거죠. 저는 글로 말하고 있지만 한번 상상해보는 겁니다. 소설 속에 존재하는 T라는 화자가 여러분들 눈앞에 앉아 있다, 그리고 여러분은 T의 말을 듣고 있다, 이렇게요. 여러분들이 몇 명인지는 마음대로 상상하셔도 좋아요. 코로나 이전이라고 하면 서점을 가득 채울 수 있는 인원 한 15명 정도라고 생각해도 좋고요. 아니면 2인칭으로 존재하는, 당신이라는 한 사람이 저 T의 말을 경청하고 있다고 생각해도 좋아요. 어찌 되었든 저는 이 고민을 계속해왔습니다. 어떤 방식으로 소설을 쓰는 걸 보여드려야 현실에서 제 클래스를 듣게 될 분에게 도움을 줄 수 있을까 하고 말이죠. 앞으로 제가 소설가로서 말할 수 있는 최대치를 당신 혹은 여러분들에게 말하게 될 겁니다. 지금부터는 핸드폰도 잠시 뒤집어놓으시고요.

노트북도 잠시 꺼두시고요.

　이제부터 시작하겠습니다. 클래스를 듣고 있다고 여기고 들어주세요. 알았죠? 중간에 재미없다고 덮으시면 안 된다는 말입니다. 그럼 제가 당황스러워지거든요. 다시 한 번 인사드리겠습니다. 저는 소설 쓰는 T라고 합니다. 서점을 운영하고 있고요. 아까는 책방이라고 했는데 지금은 서점이라고 했네요. 똑같은 단어를 쓰고 싶지 않다는 저의 의지니까 그냥 넘어가주세요. 우선 감사의 말씀을 드리고 싶습니다. 제가 이 소설을 기획했을 때는 정말 착상이나 발상에 그칠 것이라고 예상했거든요. 근데, 지금 이렇게 소설의 마지막 부분을 쓰면서 결정적인 순간을 맞이하니까 너무 기쁩니다. 네, 제가 떠들고 있는 사이에 어느새 두 분이 자리해 주셨네요. 감사합니다. 정말 궁금했거든요. 저의 첫 강의를 듣게 되실 분들은 과연 어떤 분들일까. 공간이 조금 아담하긴 하지만 우리 3명이 대화 나누면서 소설 쓰기에 대해서 논하기에는 딱 좋은 공간 같아요. 일종의 자기소개 같은 거죠. 네, 네. 제 바로 앞에 앉아 계신 분요. 아, 저부터 하라고요. 전 제일 마지막에 하려고 했죠. 아니라고요? 음, 그래요. 그럼 제가 먼저 시작해보겠습니다. 제 필명이 왜 T인지는 다 아실 테니까 넘어가고요. 조바심이 나서 말씀드리지만, 꼭 저처럼 장황하게 소개할 필요는 없어요. 얼른 말하라고요. 에이, 알았어요. 성격이 급하시네요. 제가 편해서 그런 거죠? 편하면 좋죠. 작가 같지 않다고요. 그럼 어떤 사람처럼 보이나요? 말 나온 김에 한번 물어보죠. 그냥 학교 선배? 에이, 그러기에는 제가 나이가 좀 많아요. 아무튼 작가니까 이렇게 강의도 하겠죠? 네, 알겠습니다. 그런 편안한 느낌으로. 방금 좋아요. 저와 함께 4주 동안 함께 해주시면 좋겠습니다. 시간은 금방 갈 겁니다. 분위기는 그럭저럭 괜찮네요. 비록 두 분이지만, 눈빛이 살아 있네요. 덕분에 긴장도 많이 풀렸습니다. 처음 소설쓰기 클래스를 생각했던 때가 생각나요. 그때가…. 아마도 제 기억으로는 재작년 9월쯤이 아니었나 싶어요. 제가 책방을 인수하고 얼마 지나지 않은 시점이었죠. 갑자기 어떤 손님께서 소설쓰기 강의를 해달라는 거예요. 그때만 해도 단골이 별로 없을 때라서 얼굴이 익숙한 몇 안 되는 분 중에 한 분이었어요. 근데, 제가 단호하게 거절했어요. 고민도 하지 않고 일언지하에 '노!'를 외쳤죠. 제가 감히 누구에게 소설쓰기를 가르치느냐고요. 손님은 저 정도면 강의를 듣고 싶어 하는 사람이 많을 거라고 하셨죠. 근데, 그때만 해도 전 아니었어요. 이제 겨우 몇 권 책 낸 사람이 누군가의 글쓰기를 책임지고 가르친다는 게 얼마나 거창해 보입니까. 생각해보세요. 아시겠지만 저는 문예창작과를 나온 것도 아니고 국어국문과를 나온 것도 아니에요. 저의 첫 번째 소설을 읽어보신 분은 알겠지만 거기 어떤 단편에도 그런 인물이 나와요. 사실 저의 페르소나이기도 하죠. 그때만 해도 첫 책을 냈을 때의 그 희열을 만끽하고 있을 때였죠. 근데, 책방을 운영하다 보니까 이게 책만 팔아서는 도저히 이 공간을 유지하기가 힘들더라고요. 아무튼 그래서 최근에 소설쓰기 클래스를 실행하기로 마음먹었어요. 클래스를 좀 특별하게 진행하려면 어떻게 하면 좋을까 고심하다가 소설쓰기 클래스를 아예 소재 삼아서 글을 써보자 했죠. 음, 말이 좀 길어질 것 같으니까요. 전체적으로 제가 첫 강의 때 드리고 싶은 말을 먼저 다 하겠습니다. 두 분 자기소개는 제가 얘기 다 한 다음에 천천히 해도 늦지 않겠죠. 시간은 많으니까요.

우선 '너무 긍정적인'이라는 소설, 끝내 최종 제목 자체를 정하지 못한 소설은 제가 익명의 채팅 채널에서 우연히 알게 된 분과 통화를 하면서 들은 얘기를 각색해서 창작한 소설입니다. 그러니까 인터뷰를 기반으로 한 소설이죠. 생각해보면 소설은 한계가 없는 분야이기도 해요. 제가 얼굴도 모르는 낯선 분하고 통화한 게 소설이 될 수도 있고, 일하다 말고 쓴 메모장의 한 문장에서 시작될 수도 있는 거죠. 어떻게 소설을 쓰는지는 방금 보신 두 번째 챕터에 등장하는 작가님을 통해서 묘사한 바 있죠. 그걸 참고하시면 좋을 것 같아요. 다시 말해달라고요. 방금 본 건데 기억이 안 나시는군요. 그럼 아까 말했던 것 말고 다른 얘기를 해 보겠습니다. 소설을 쓸 때 상상력을 극대화하는 방법을 하나 알려드리죠.

누구든지 간에 어떤 행동 또는 선택을 해야 할 경우가 있었을 겁니다. 그때 그렇게 행동하지 않았다면? 행동했다면? 쉽게 말해 만약을 붙여보는 거예요. 거기서부터 소설이 시작되었던 것 같아요. 제 첫 책이 자전적인 면이 많은데요. 사실 순도 백 퍼센트의 완전한 상상력은 있을 수 없어요. 많은 작가가 자신의 경험을 변주하고 각색해서 씁니다. 얼마나 진짜 같은 가짜를 쓰느냐가 관건일 뿐이죠. 그런데, 소설을 어떻게 쓰는지 너무 궁금하다고요. 음, 제가 방금 말씀드렸는데 예시가 좀 부족했나봐요.

'너무 긍정적인'이라는 소설을 쓰다, 에서 제가 어떤 부분을 일상에서 가지고 왔고, 소설로 변주했는지 말씀드려보겠습니다. 클래스를 간접 경험해보고 싶어서 동료 작가에게 도움을 청하는 장면 혹시 기억나시나요? 마치 실제처럼 생생하게 묘사되어 있지만, 그 부분도 각색이 들어갔습니다. 기억에 남는 것만 잠깐 말하자면 거기에서 화자는 S를 기다리면서 손톱을 깨물고 자신의 머리를 쓰다듬거나 하잖아요. 그 습관의 주인공은 화자가 아니라 다른 사람이에요. 화자의 친구 얘기입니다. 근데, 그렇게 초조한 상황에서는 누구에게나 어울리는 습관이라는 거죠. 소설은 자신과 자신을 둘러싸고 있는 모든 것을 다 재조립해서 쓸 수 있는 겁니다. 다른 예를 들어볼까요. 바로 오늘 겪은 일인데요. 지하철 안에서 누군가 옆에서 통화합니다. 큰소리로 하는 것도 아닌데, 오늘따라 그 작은 목소리가 너무 거슬리는 거죠. 예전의 저였다면 속으로 욕하면서 부글부글 끓기만 하다가 금세 잊었을 거예요. 그런데, 제가 좀 전에 겪은 일에 열 받은 심정을 글로 옮겨 적고 있더라고요. 아주 자세하게 묘사하면서. '옆에 있는 사람의 나이를 추정할 수는 없지만, 목소리가 얼굴보다 훨씬 젊다.' 옆으로 힐끗 째려보면서 말이죠. '목소리의 주파수 파장이 얼마나 넓은지 광대역 공격으로 다가왔다. 내가 쓴 이어폰 속으로 목소리가 깊게 뚫고 들어왔다.' 이런 것까지 막 쓰고 있었던 거죠. 이런 식으로 평소에 나를 멈추게 하는 주변 모든 것들이 다 소설의 소재가 될 수 있습니다. 오늘 지하철에서 내 옆에 앉아있던 사람의 말이 지금도 계속 생각난다. 이런 문장으로 소설이 시작될 수도 있는 겁니다. 이해되시나요? 계속 쓰다 보면 그것도 실력이 늡니다. 관찰하는 능력이 일취월장하게 되어 있어요.

그리고 제가 생각하기에 소설의 가장 큰 장점은 쓰는 사람이 한계를 짓지 않는다면 한계가 없다는 겁니다. 화자가 내가 될 수도 있고, 타인이 될 수도 있고, 사건이 평탄하게 진행되지만, 마음은 용광로같이 뜨거울 수도 있고, 반대로 엄청난 사건에 휘말리면서도 겉으로는 냉철해 보이는 인물을 등장시킬 수도 있죠. 한마디로 내가 쓰고자 하는 이야기가 있다면 그 안에서 누군가의 검증을 받을 필요가 없다는 거예요. 완전하게 소설을 다 쓰고 누군가의 피드백을 받지 않은 이상은요. 일인칭으로 쓰다가 답답해지면 시점을 바꿔서 써도 괜찮아요. 독자가 따라갈 수 있을 정도의 변주는 독자들이 알아서 읽어줍니다. 왜냐고요. 소설이니까요. 창조된 세계니까요. 저는 누군가에게 검증받는 삶이 너무 힘들었던 사람이었어요. 회사 생활이라는 게 그렇잖아요. 검증, 검증, 검증…. 무슨 얘기를 해도 이것도 아니고 저것도 아니고 하여간에 네가 하는 말은 다 틀려. 마치 이런 느낌의 일갈을 참 많이 받아와서 한이 맺혔던 사람입니다. 저와 달리 여러분들은 다 지금 자기 일을 따로 하고 계시죠? 그렇지만 다른 일을 하시든 안 하시든 그건 중요한 게 아닙니다. 소설을 쓰는 건 자기가 주인공인 또 다른 세상을 하나 만든다는 거예요. 거기에서는 아무리 많은 일이 일어나도 상관없습니다. 안전하니까요. 가상의 세계를 창조하면서 느꼈던 만족감만 실생활로 끌고 와서 또 다른 사람으로 거듭나는 겁니다.

이 정도면 얼추 첫 번째 강의에서 제가 할 말은 거의 다 한 것 같아요. 그럼 늦었지만, 이제부터 자기소개 시간을 가져보겠습니다. 여러분들의 얘기를 들어봐야 또 어떻게 강의를 진행할지 정할 수가 있을 테니까요. 어떻게 오셨는지 돌아가면서 자신에 대해 차분히 말씀해주실 수 있을까요? 그건 제가 더 잘 알 거라고요? 그게 맞긴 맞죠. 여러분들도 제가 만들어낸 인물이니까요. 마치 살아 있는 인물처럼 실감 나게 반응해주셔서 감사해요. 소설 속의 소설, 두 편 모두 다 출연해주신 해은 씨도, 조금 전까지 소설가 T의 페르소나가 되어 열심히 연기해주신 작가님께도 감사드립니다. 지금까지 사실 독백이었어요. 이 정도면 대사를 주로 활용한 소설로 괜찮지 않을까 싶네요.

이미 눈치채셨겠지만, 아무래도 이 소설을 수강생들이 볼 일은 없을 것 같아요. 방금 소설쓰기 클래스 모집 최종 결과가 나왔어요. 놀랍게도 모집 인원이 0명입니다. 2주 넘게 홍보를 했음에도 불구하고 소설쓰기 클래스 신청자가 단 한 명도 없네요. 실망했느냐고요? 그럴 리가요. 오히려 마음이 편해요. 마음속으로 제가 바라던 바였어요. 저는 소설 속에서 더 편해요. 제가 괜히 에세이를 못 쓰는 작가겠어요. 소설 쓰는 것 말고는 다른 일은 안 하는 게 아니라 못 하는 게 맞습니다. 제 주제를 신랄하게 파악할 수 있었던 소중한 기회였습니다. 정말 감사해요.

잠깐만요. 제가 이번에 쓴 소설이 실망스럽다고요? 허무하다고요? 누구에게도 보여줄 수 없다고 급하게 결말로 치닫는 건 작가로서 너무 안이한 결정이라고요? 그렇지만,

조금만 더 생각해보면 대단하지 않나요? 아무도 보지 않을 걸 감안하고 이 정도 분량의 글을 쓸 수 있다고 생각하시나요? 그러니까요. 제가 이 소설을 쓴 이유 중 하나는 실패여도 상관없다는 메시지를 주고 싶었어요. 적절한 결말 아닐까요. 아무도 안 보면 어떻습니까. 내가 쓰고 나만 봐도 독자는 있는 거죠. 벌써 한 명이 봤다는 것 아니겠습니까. 쓰는 순간 허무한 결말, 불필요한 글은 없게 된다고요. 제가 무슨 말 하는지 아시겠죠? 그러니까 이렇게 엉망으로 보이는 글도 소설이 될 수 있는 겁니다. 그것만 아셔도 이 소설을 읽은 게 무의미하지는 않죠? 제목으로 낚시한 거 아니냐고요? 일종의 낚시인 게 맞죠. 제목은 언제나 궁금증을 불러일으켜야 해요. 애초에 저렇게 제목을 쓴 목적이 있죠. 그래서 제목은 안 바꾸기로 했습니다. 저 같은 사람이 소설쓰기 강의를 하면 안 된다는 걸 처절하게 보여주는 거죠. 소설 쓰는 저의 일상에서 시작되는 소설은 이렇게도 쓸 수 있습니다. 그러니까 포기하지 말고 끝까지 쓰시면 됩니다. 그럼 자신의 내면을 잘 반영한 일상 소설 한 편 정도는 누구나 쓸 수 있거든요.

근데 말이죠. 신청자가 없다는 말에 아까 기쁘다고 했잖아요. 그 말은 취소할게요. 말을 하다 보니까 좀 서글프긴 합니다. 힘들게 쓴 제 신작 소설을 보여줄 사람이 저 말고는 단 한 사람도 없다는 게 말이죠. 이 소설을 공모전에 투고하기로 했던 제 결심도 철회하겠습니다. 아마도 제 노트북의 미공개 폴더 안에 곱게 모신 채로 있다면 그나마 다행이지 싶네요. 바탕화면에서 한 달 남짓 저랑 지지고 볶느라 수정, 저장을 수십 번 한 너덜너덜한 원고이지만 세상에 공개할 이유가 사라졌으니 그대로 따르는 게 맞겠죠. 소설쓰기 강의는 누군가에게 필요하겠지만 제가 하기엔 너무 버거운 일이네요. 지금까지 소설쓰기 강의를 무사히 하고 있는 여러 작가에게 존경의 마음을 담아 찬사를 보내고 싶습니다. 저는 계속 소설 쓰는 일에 만족하며 살아가야겠어요. 고생하십시오.

1995년 10월 5일, 서태지와 아이들 4집이 발매되었다.

내가 중학교 2학년 때 신드롬을 일으키며 그야말로 혜성처럼 등장한 뮤지션. 짧은 활동 기간 동안 수많은 업적을 남기며 누구도 부인할 수 없는 문화계 전반의 지각 변동을 일으킨 당사자들, 서태지와 아이들.

처음으로 누군가의 팬이라는 말을 자랑스럽게 하고 다녔을 정도로 난 서태지와 아이들에게 푹 빠져 있었다. 앨범을 사 모으는 것은 기본이었고, 방송 출연 일정을 일일이 체크하며 본방송을 비디오로 차곡차곡 녹화했으며, 회오리춤을 비롯한 각종 댄스를 마스터해서 친구들에게 알려줬고(심지어 난 몸치였음에도 불구하고), 광고 모델로 활동했던 브랜드의 옷을 사서 입었다. 카세트테이프로 음악을 듣던 시절이었다. 서태지와 아이들이 컴백하는 날이면, 저녁 자율학습 시간 전에 많은 친구가 한 사람에게 부탁해서 한꺼번에 음반 레코드점에서 신보를 사 오곤 했다. 그 한 사람은 주로 나였다. 나는 자처해서 나와 친구들의 음반을 사가지고 왔던 것이다. 분명 귀찮은 일임에도 따끈따끈한 신보를 가장 먼저 만져볼 수 있다는 이유가 컸다. 서태지와 아이들 4집이 발매되던 날, 친구들은 역시 나에게 그 일을 맡겼다. 그날은 많은 친구가 휴대용 카세트 플레이어를 몰래 가지고 왔었다. 앨범마다 놀라움을 선사하며 새롭고 신선한 사운드를 들려준 뮤지션에게 거는 기대가 컸었기에, 누구보다 더 빨리 듣고 싶었기에. 교복 안쪽 주머니에 모인 돈을 넣고 자리에서 일어나려고 할 때, S가 조심스레 다가왔다.

"나도 같이 가면 안 될까?"

내게 처음으로 말을 건넸던 S. 그때만 해도 평소에 나랑 친하게 지낸다고 볼 수는 없었던 S.

"왜?"

너무 당황한 나머지 나는 눈을 동그랗게 뜨고 S에게 반문했다. 남녀공학 합반. 싱그러운 미소의 소유자였던 S는 같은 반이었지만, 평소에 좀처럼 말 걸기가 어려울 정도로 잘 나가는 친구들 그룹에 속해 있던 아이였다. 인기 좀 있다는 아이들이나 할 수 있었던 교내 방송반에서도 메인이라고 할 수 있는, 점심 방송을 맡았던 S. 맑은 목소리로 좋은 음악을 소개하곤 했던 S. 서태지와 아이들 덕에 친구의 폭이 넓어지긴 했지만, S는 그야말로 닿을 수 없는 곳에 있었다. 내가 S를 알긴 했어도 S가 나를 알 거라고 미처 생각하지 못했다.

"왜긴, 나도 서태지와 아이들 좋아해! 아니 정확히 말해서 서태지만 좋아하는 게 맞지만."

가슴이 두근거렸다. S가 말을 걸다니. 약간 망설이는 기색을 보이니 S가 눈치를 보며 다시 말을 건넸다.

"내가 같이 가는 게 불편해? 그러면 내 것만 부탁할게."
"아니야, 아니야. 불편하긴. 괜찮아. 같이 가자."

S와 나는 곧바로 교실 뒷문을 나섰다. S의 평소 선곡을 미뤄 봤을 때, 서태지를 좋아한다는 게 꽤 의외긴 했었다. 함께 걸으며 교문을 나설 때까지도 우리는 아무런 말을 나누지 않았다. 무슨 말을 해야 할지 전혀 알 수가 없었으니까. 그러다가 결국 우리가 함께 걸을 수 있는 이유를 떠올리며 S에게 물었다.

"언제부터 좋아했어?"
"응?"

"서태지와 아이들 말이야. 아니다. 서태지만 좋아한다고 했지?"

"음, 본격적으로 좋아한 지는 얼마 안 됐어. 난 3집에서 '영원'이라는 노래가 그렇게 좋더라."

"그렇구나. 역시! 너라면 '교실 이데아'보다는 '영원'이 더 잘 어울려."

"그래? 왜?"

"그냥 평소에 선곡하는 거 보면 강렬한 사운드보다는 부드러운 발라드를 좋아하는 것 같아서."

"내가 주로 어떤 노래를 선곡하는지 이미 알고 있어?"

"어떻게 모를 수가 있어. 너 유명하잖아."

"에이, 유명하긴. 유명한 건 너지."

"내가? 에이 설마."

"너 춤 잘 추잖아."

싱거운 대화가 오갔다. S와 내가 사이좋게 친구들의 앨범을 사서 가지고 들어갔던 그날. 그날 이후로 S와 조금씩 친해졌다. 그렇다고 해서 갑자기 말을 많이 했던 건 아니지만, 최소한 지나가면 웃으며 눈인사를 건네는 정도는 되었다. 가끔 서태지와 아이들의 음악에 대해서, 패션에 대해서, 시대정신에 대해서, 영향력에 대해서 짧게나마 S와 말을 나눌 수 있다는 사실이 꽤 좋았다. 동경의 대상이 같다는 것만으로도 그저 즐거운 시절이었다. 지금 생각해봐도 S에게 딱히 이성적으로 좋아하는 감정이 있던 건 아니었다. 고3이 되기 전, 고등학교 시절 마지막 겨울방학. 그래, 잊을 수 없는 그 겨울방학. 그때 그 일은 내 인생에서 영원히 지워지지 않는 기억으로 남아 있다.

1996년 1월 31일, 서태지와 아이들이 갑자기 은퇴했다.

겨울방학이 끝날 무렵, 청천벽력 같은 소식이 들려왔다. 만우절도 아닌데, 이렇게 거대한 소식이 정말로 훅 다가왔다는 사실이 믿기 어려웠다. 스포츠 신문을 수놓았던 은퇴 임박 소식으로 시끄러워도 근거 없는 못된 루머로 치부할 뿐이었는데 말이다. 쉬는 시간이면 아이들은 종일 웅성거리며 우상의 은퇴를 아쉬워하고 슬퍼했다가 수업이 시작되면 침울한 표정으로 공부하기를 반복했다. 오전 내내 S의 표정도 심상치 않았다. 점심시간이 되자 S의 자리로 다가갔다. 아니나 다를까. 내가 괜찮냐고 무심하게 묻자 S는 앉은 채로 내 눈을 바라보다 순식간에 눈물이 가득 차올랐다. 그러다가 그대로 팔을 뻗어서 나를 안았다. 너무 순식간에 일어난 일이었다. 나는 S를 안고 엉거주춤한 자세로 서 있을 수밖에 없었다. 곧이어 난 S에게 의젓하고 차분한 목소리로 귓속말을 했다.

"괜찮아. 금방 다시 돌아올 거야."

"은퇴잖아. 오빠가 거짓말할 리가 없어."

S는 서럽게 눈물을 쏟아냈다. 내 가슴팍이 축축해지는 게 느껴졌다. 나도 그 누구 못지않게 서태지와 아이들을 동경했지만, 그렇다고 해서 울지는 않았다. S의 눈물이 생경하게 느껴졌다. 그렇게 5분 정도를 줄기차게 울었던 S는 제풀에 지쳐서 나를 놔줬다. S의 얼굴은 눈물로 얼룩져 있었다.

"이제 무슨 낙으로 살지?"

"서태지가 밥 먹여주냐. 우리 이제 곧 고3이야. 정신 차리자."

사실 나도 서태지의 새로운 음악을 못 듣는다는 사실에 허탈함을 금할 수 없었는데, S가 우는 걸 보니까 나라도 중심을 잡아야겠다는 생각이 들었는지 지금 생각해보면 꽤 어른스러운 말을 내뱉었다. S가 나를 흘겨보았다. 난감했던 난 어쩌겠냐는 듯한 제스처를 취하면서 S를 달랬다. 그 뒤로 S와 난 고3이 되면서 반이 갈라졌고, 내 의지와는 무관하게 전과 같은 친분을 유지할 수 없었다. 난 자율학습 시간이면 4장의 정규 음반, 라이브 음반, 테크노리믹스 음반, 그들의 은퇴 직후에 나온 베스트 앨범까지 선생님들의 방심을 틈타 그야말로 테이프가 늘어지도록 계속 듣고 또 들었다. S에게 공부나 하자고 호기롭게 말했지만, 아마도 상실감은 내가 더 심하게 앓았을지도 모른다.

나는 살벌한 고3 수험생 생활을 하면서도 서태지와 아이들을 놓지 못했다. 아니, 정확히 말해 S처럼 서태지만이 중요했다. 서태지와 아이들은 은퇴하고 나서도 음악 잡지의 표지 모델로 종종 등장했고, 가끔은 독점 화보가 제공되기도 했다. 그들이 다시 돌아오리라는 믿음이 있어서였을지도. 초여름, 월간으로 나왔던 한 잡지의 별책부록이 기막히다는 얘기를 듣고, 학교 근처 서점부터 뒤지기 시작했다. 그런데 나 같은 사람이 어디 한둘이었을까. 가는 곳마다 이미 다 팔리고 없다는 얘기만 들을 뿐이었다. 점점 초조해졌다. 열 군데가 넘는 서점을 다 가보고 나서야 상황을 받아들였다. 품절이라는 걸. 난 마지막으로 S를 떠올렸다. S라면 이미 구매했을지도 모르겠다고 기대했다. 다음날, 1교시가 끝나고 S가 속한 반 뒷문 앞에서 초조하게 S가 나오기를 기다렸다. 그때 누가 나를 툭 쳤다. 깜짝 놀라서 뒤돌아보니 S가 서 있었다.

"어디 갔다 온 거야?"

"나? 화장실."

"아, 그래. 물어볼 거 있어서 왔어. 너 서태지 화보 별책 부록으로 나온 잡지 알지?"

"당연하지. 난 나오자마자 바로 샀지. 넌?"

"못 샀어. 가는 곳마다 품절이래."

어쩐지 S의 표정이 여유로워 보였다. 그 표정이 괜히 얄 미워 보였다. S에게 말을 건넸다.

"혹시 별책부록만 나한테 팔 생각 없어? 나 그거 진짜 가지고 싶어서."

"야, 그걸 말이라고 해. 팔 것 같으면 애초에 사지도 않 았지. 포기해. 이건 안 돼."

"친구 좋은 게 뭐냐. 내가 서태지 얼마나 좋아하는지 알 잖아."

"나도 마찬가지야. 절대 안 돼."

절대 이뤄질 수 없는 거래라는 걸 모르지 않았다. 근데 S 가 단호한 태도를 취하면 취할수록 갖고 싶다는 마음은 더 커져만 갔다. 쉬는 시간마다 S를 찾아갔다. S는 딱히 불편 해하지도 않았다. 내가 아무리 사정해도 꿈쩍하지 않고, 그대로 버티며 해맑게 웃었을 뿐. 지금 생각해봐도 S의 인

내심은 대단했다. 삼사일 정도를 졸라댔을까. S가 제풀에
지쳐 울음을 그쳤던 그날처럼 나 역시 포기하고 다시 집중
해서 공부해야지 마음먹었을 즈음. S가 찾아왔다. 내 앞에
서 뒷짐을 쥔 채 역시 웃고 있었던 S.

"왜?"
"친구가 왔는데 왜가 뭐냐?"
"아, 몰라."
"이거 주려고 왔는데, 이제는 필요 없나 봐."

S가 내 눈앞에서 흔들었던 건 서태지와 아이들의 미공
개 화보가 담긴 문제의 그 별책부록이었다. 난 뭘 잘못 본
줄 알았다. S가 그 귀한 걸 나한테 줄 리 없다고 이미 인정
해 버린 후였기 때문이었다. S가 내 눈을 바라보며 말했다.

"이거 주면 더 열심히 공부할 거지? 나랑 약속해."

S는 마치 누나처럼 의젓했다. 나는 고개를 끄덕이며 문
제의 별책부록을 받고야 말았다. S에게 물었다. 왜 갑자기
마음이 바뀌었냐고. S는 내가 지극정성으로 쉬는 시간마다
찾아갔을 때, 솔직히 굉장히 귀찮았다고 했다. 며칠 동안
시간을 두고 곰곰이 생각해보니 그건 내가 갖는 게 더 좋

을 거란 결론을 내렸다고 했다. 내 표정이 그렇게 절박해 보일 수가 없었다나. 내가 서태지를 선망하는 게 여실히 드러났고, 자기가 쉽게 따라갈 수준이 아니란 걸 알았다고 했다. S는 기쁜 마음으로 가지고 왔다고 했다. 때로는 놓아 주는 게 훨씬 더 마음을 편하게 하더란 걸 알겠다 했다. 정말 고마웠다. 사춘기, 누군가를 열렬히 선망하던 시절이었기에 S의 행동은 나에게 더 큰 감동으로 다가왔다. 지금 되돌아보면 그게 뭐라고 그렇게 절실했었나 싶지만.

1996년 11월 13일, 본고사가 폐지되고, 수학능력시험이 치러졌다.

다음 날 오전, 교실 여기저기서 곡소리가 났다. 역사상 최고 수준의 난도를 보였던 1997학년도 수학능력시험은 많은 수험생을 좌절케 했다. 나도 그중 한 사람이었다. 대입만을 목표로 살아왔던 청소년 시기. 조심스레 채점해 본 결과, 평소보다 평균 30점 이상이 떨어진 점수가 내 앞에 놓였다. 너무 허무해서 말도 나오지 않았다. 난도가 높았던 만큼, 반대로 잘 찍어서 점수가 평소보다 더 잘 나온 친구들도 여럿이었다. 좋아서 목소리를 높이는 그들 사이에서 난 울상이 되어버렸고, 그대로 교실 밖으로 나가서 터벅터벅 복도를 걸었다. 저 멀리서 S가 보였다. 천천히 커지

는 S. S는 내게 별책부록을 넘겨줬을 때와 비슷한 미소를
지으며 내 앞으로 다가왔다. 그리고 나만 들을 수 있는 다
정한 목소리로 말을 건넸다.

"시험, 어려웠지. 잘 봤어?"

S의 온화한 표정을 보자마자 난 그대로 무너져내렸다.
꺼이꺼이 울음이 터졌다. 눈물이 멈추지 않았다. 놀란 S가
나를 안았다. 서태지와 아이들이 은퇴했을 때와 반대로 이
번엔 내가 S의 품에 안겨서 우는 형국이었다. S는 처음 보
는 내 모습에도 당황하지 않았다. S는 담담하게 내 등을 토
닥이다 이윽고 날 일으켜 다시 한번 꽉 안았다. 그리고 나
를 부축해서 아무나 들어갈 수 없었던 방송반으로 데리고
가서 의자에 앉게 했다. S는 내 눈에서 쉴 새 없이 흐르는
눈물을 닦아줬다. S는 안쓰러운 눈빛으로 보다가 내가 지
쳐 보였는지 정수기 물을 떠서 권했다. 꿀꺽꿀꺽. 시원하
게 물을 마신 난 이내 안정되었다. S가 말했다.

"시험 한 번 망친 거 가지고 뭘 그렇게 서럽게 우냐?"
"이 시험 때문에 몇 년을 공부했는데. 다 망했어."
"다 망하긴 뭐가 망해. 성에 안 차면 재수해, 그냥."

잠시 서럽긴 했어도 S의 말이 틀리진 않았다. 수능이 인생을 크게 좌우할 만큼 중요한 건 아니라는 걸 살면서 자연스럽게 알게 되었으니. 인생은 그보다 훨씬 더 의미 있는 일들로 가득 차 있었다. S는 다시 나를 안으며 한마디를 더 건넸다.

"너는 결국 해낼 거야. 나한테 그거 얻어갈 때처럼 끈기 있게 다시 공부해 봐."

S가 따뜻하게 나를 안으며 했던 그 말이 아니었다면 나는 재수를 선택하지 않았을 것이다. 재수를 할 만큼 의지가 강한 사람이 아니라고 생각했기 때문이었다. 그런데 S는 나를 믿어줬다. S의 따뜻한 음성은 나의 의지를 강화했던 게 분명하다. 실제 난 내 인생에 절대 없을 거라고 장담했던 수험 생활을 1년 더 하고 내가 원하는 대학교에 들어갔다. S와 서로 한 번씩 주고받았던 위로의 포옹, 격려의 포옹. 내 인생에 수없이 많은 포옹이 존재했지만, 그 시절 S와 나눴던 포옹만큼 인상적이었던 적은 없었다. 이제는 얼굴도 흐릿한 그 아이의 따뜻했던 품을 잊을 수가 없다. 지금도 가끔 서태지의 음악을 들을 때면 S가 떠오른다.

지금은 이 세상에 없는 애들 아빠에게 첫눈에 반하지는 않았다.

영원히 그리운 이름, 변철현.

친구의 소개로 그를 처음 만났던 날, 그의 인상은 무난한 편이었다. 이런 말로 내 인생에서 가장 소중한 사람을 소개하고 싶지 않지만, 평범했다. 눈에 확 들어올 만한 특별한 면은 찾아볼 수 없었다. 얼굴값 할 정도로 잘생긴 것도, 키가 훤칠한 것도, 말솜씨가 유려하게 훌륭한 것도 아니었다. 그렇다고 직업이 좋았나, 하면 그것도 역시 아니었다. 그에게 반할 만한 요소가 많지 않았다. 소위 말하는 매력이라는 게 별로 느껴지지 않았다. 그렇게 만나야 할 이유가 딱히 없어 보였는데도 나에게는 철현 씨와의 첫 만남이 참 좋았던 기억으로 남아 있다. 다른 무엇보다 철현 씨는 내 말을 잘 들어줬다. 결코 들어주는 척 시늉하는 것이 아니었다. 내가 거의 일방적으로 얘기해서 미안한 마음이 컸으나, 그의 표정이 너무 온화했기에 별다른 걱정을 하지 않았다. 타인의 말을 집중해서 들어주는 건 엄청난 정신력과 체력이 요구된다는 걸 나는 잘 안다. 그런데 철현 씨는 그 어려운 걸 아무렇지 않게 해내는 것이었다. 일부러 신경을 써서 애를 쓰는 것 같지도 않았다. 적절한 순간에 차분하게 웃는 여유까지 보여줬다. 너무 부담스럽게 눈을 뚫어져라 보는 것도 아니었지만, 자신이 내 얘기를 잘 듣고 있다는 티는 확실하게 낼 줄 알았다. 난 그런 철현 씨의 태도 덕분에 처음부터 내가 살아온 얘기를 편안하게 할 수 있었다. 묻지 않았던 말도 내가 알아서 먼저 꺼내놓을 정도였으니 말 다 했다. 그 정도로 철현 씨는 대화의 고수였다. 이전에 만났던 다른 남자들과는 사뭇 달랐다. 다들 자기 얘기 혹은 자랑을 늘어놓느라 바쁜 부류가 대다수였던 걸 고려해보면 철현 씨는 타인을 배려하는 게 몸에 익은 사람이었다. 그렇게 나쁘지 않았던 느낌의 첫 만남은 두 번째, 세 번째 만남으로 물 흐르듯 자연스럽게 이어졌다. 만남이 반복되어도 철현 씨의 태도가 균일하게 유지되는 걸 보고 그가 내 얘기를 잘 들어주는 비결이 뭘까 새삼 궁금해졌다. 혼자서 고민하면서 앓느니 당사자에게 물어보는 게 낫겠다 싶어서 대놓고 직접 물었다.

"근데, 힘들지 않으세요?"

"네? 어떤 게…?"

"제 얘기 들어주시는 거요."

"갑자기 무슨 말씀이신지….”

"제가 좀 말이 많은 건 잘 알고 있거든요."

"아니에요. 재밌어요. 수향 씨 일상 얘기."

"그냥 다 평범하고 흔한 얘기잖아요. 아닌가?"

"저에게는 무척 특별합니다. 그리고….”

철현 씨는 첫 만남부터 보여줬던, 특유의 여유로운 미소를 지으며 내게 말했다. 처음 본 순간부터 지금까지 나라는 사람의 모든 것이 좋다고 눈 한 번 깜빡이지 않고 말하는 것이었다. 거짓말이 아니라는 건 본능적으로 알 수 있었다. 난 새삼스레 철현 씨의 진심을 정확하게 확인한 기분이었다. 나는 그에게 첫눈에 반하지 않았지만, 그는 나에게 첫눈에 반한 것도 모자라 이제 막 시작된, 나를 향한 사랑을 부담스럽지 않게 과시했다. 철현 씨는 자신이 모든 사람의 말을 이렇게 귀담아듣지는 않는다고 말하면서 내가 자신에게 얼마나 특별한 존재인지를 간접적으로 밝혔다. 그 말이 진심이라는 걸 믿고 싶었고, 믿을 수밖에 없었다. 나 역시 철현 씨라는 사람을 좋아하고 있다는 게 점점 명확해졌다. 철현 씨의 진심을 확인한 순간 아주 잠깐 망설였다. 이유는 간단했다. 지난 연애 경험을 반추해 봤을 때 내가 먼저 고백하면 사랑이 잘 이뤄지지 않는다는 징크스가 있었기 때문이었다. 그렇지만 참을 수가 없었다. 넘쳐흐르는 마음이 행여나 다른 곳으로 향하기 전에 그에게 집중하고 싶은 마음이 들었다. 조심스럽게 철현 씨에게 내 마음을 전했다. 지금 생각해도 정말 떨렸던 순간. 용기를 내어 고백했을 때, 그는 내가 부끄러운 감정을 느낄 틈이 없도록 배려했다.

"철현 씨, 정말 제 얘기 듣는 거 좋아요?"

"물론이죠."

"그럼 우리 정식으로…. 만날까요? 제 얘기 계속해서 들을 수 있게…."

"네?"

"우리…. 그럼 사귈까요?"

"한발 늦었네요. 제가 먼저 말했어야 하는데…. 수향 씨 정말 좋아해요."

"좋다…. 저도 좋아요. 정말."

나는 마음을 숨기는 법을 잘 몰랐고, 철현 씨는 마음을 숨길 필요가 없었다. 서로에게 호감이 있다는 걸 확인한 후 우리가 연인이라는 인연으로 이어지기까지 그리 오랜 시간이 걸리지 않았다. 철현 씨는 착하고 순수한 사람이었다. 내가 먼저 정식으로 사귀자는 말을 꺼냈을 때 철현 씨는 평소보다 활짝 웃었다. 그가 아이처럼 맑고 환하게 웃을 수도 있는 사람이라는 걸 알게 되어서 내심 더 좋았다. 그는 타인의 마음을 함부로 재지 않고 그대로 받아들이는 사람이었다. 적어도 나에게만큼은 어떠한 편견도 없어 보였다. 우리는 많은 대화를 나누면서 서로에 대해서 더 깊이 알아갔다. 철현 씨를 알아가면서 내가 아끼는 세계는 점점 커졌다. 만나는 것 자체만으로도 감사한 날들이 이어졌지만, 관계라는 건 변화무쌍하다는 걸 알기에 통제할 수 없던 불안감도 함께 커졌다. 철현 씨가 나를 사랑하는 마음이 강하게 느껴질수록 나 역시 철현 씨를 진정으로 아끼게 되었고, 그럴수록 더 초조해졌다.

사실 나에게는 비밀이 있었다.

어떤 누구에게도 받아들여지지 못해서 강제로 지켜진 비밀. 내 얘기를 귀담아 잘 들어줬던 철현 씨라고 해도 어쩌면 그것만큼은 받아들이기 쉽지 않다는 걸 잘 알고 있었다. 그동안 만났던 남자들도 신사인 척하다가 내가 힘들게 그 얘기를 꺼내면 황당하다는 듯한 표정을 지었고, 얼굴색이 무섭게 변했다. 이해한다. 직접 체험하지 않았다면 남들이 그런 얘기를 했을 때 나라도 절대 믿지 못했을 것이므로. 그와 연인이 된 지 반년 정도 지났을까. 초조한 마음을 그냥 방치할 수가 없었다. 마침내 큰마음 먹고 철현 씨에게 내 비밀을 다 털어놓기로 했다. 내 비밀을 못 믿는 사람이라면 우리의 인연은 어쩔 수 없이 여기까지라고 여기고 받아들이기로 굳게 마음먹었다. 차라리 사랑이 더 깊어지기 전에 더 빨리 헤어지는 게 나을 거라고 각오했다. 더 늦기 전에 진지하게 얘기하는 게 낫다고 판단했다. 여느 때처럼 퇴근하고 집 근처에서 만나 저녁을 함께 먹었다. 우리가 자주 먹었던 김치찌개를 앞에 두고 깨작깨작 밥을 먹는 나를 보며 무슨 일 있냐고 묻는 철현 씨에게 웃어 보이며 아무 일도 없다고 태연하게 말했다. 철현 씨는 걱정하는 눈빛을 보내왔지만 애써 못 본 척했다. 식사가 끝나고 자리를 옮겼다. 우리가 처음 만났던 다방이었다. 비밀을 꺼내기에 이보다 더 적합한 공간은 없으리라. 마침 우리가 앉았던 자리가 비어 있었다. 철현 씨를 툭 치면서 그 자리를 쳐다보니 그 역시 기억하고 있다는 듯 웃었다. 마주 앉아서 주문한 커피를 기다리면서 창밖을 쳐다봤다. 마지막이 될지 모른다고 상상하니 괜히 마음이 울적해졌다. 철현 씨도 나의 눈치를 계속 살피는 게 느껴졌다. 주문한 커피가 나오자 철현 씨를 바라보며 흔들리는 마음을 다잡고 아무 일 없다는 듯이 일상을 털어놓았다. 철현 씨 역시 안도하는 듯했다. 따스한 눈빛으로 내 눈을 지그시 바라보며 얘기를 들어줬다. 그의 눈빛에 마음이 안정되었다. 그러나 내가 아무리 괜찮은 척을 해도 안 되는 게 있었다. 또 어느 정도 시간이 흐르자 내가 하는 말과 철현 씨의 대답 사이에 침묵의 시간이 점점 길어졌다. 비밀을 말해야 한다. 비밀을 말해야 한다, 는 문장이 머릿속을 가득 채우니 틈이 생길 수밖에 없었던 것이다. 내가 다음 할 말을 찾고 있을 때 그가 더는 못 기다리겠다는 듯 대놓고 판을 깔아 줬다.

"수향 씨, 말해봐요. 뭘 그렇게 망설이고 있는 거죠?"

"저…. 티 많이 나나요?"

"네, 평소랑 너무 달라요."

"철현 씨, 있잖아요. 제가 할 말이 있어요."

"네, 말씀해보세요. 아까부터 기다렸어요. 무슨 일 있는 거죠?"

"어…. 무슨 일이라면 무슨 일일 수도 있는데요."

"뭔데요. 말해봐요."

철현 씨는 얼른 얘기해보라며 날 재촉했다. 걱정과 호기심이 섞인 눈빛은 그대로였다.

"철현 씨, 사실은 제가 목소리를 들어요. 아니다. 다시 말할게요. 저에게 목소리가 들려요. 사람 목소리요."

"…."

"무슨 말인지 잘 모르시겠죠?"

"그게 무슨 말이죠? 사람 목소리가 들리는 건 당연한 거 아닌지…. 제가 말하면 수향 씨가 듣는 것처럼."

"음…. 그러니까 그런 목소리 말고요. 꿈에서 목소리가 들려요. 그리고, 중요한 건 그 목소리가 하는 말이 너무 잘 기억나고요. 그 목소리는 미래에 일어나는 일을 알려줘요. 세상에서 일어나는 모든 일을 알려주는 건 아닌데요. 목소리가 미리 뭔가를 말해줬을 때 그 사실이 틀렸던 적이 거

의 없어요. 제가 무슨 말 하는지 이해하기도, 믿기도 힘드
시다는 거 잘 알아요. 그래도 이건 저에게 너무 중요한 일
이라 철현 씨에게만큼은 비밀로 할 수 없었어요."

　폭주하듯 철현 씨에게 비밀을 털어놓았다. 가슴이 세차
게 뛰었다. 심장 박동 소리가 들릴 지경으로. 어쩌면 내 인
생에서 감정의 진폭이 가장 컸던 찰나의 순간이었을지도
모르겠다. 얼마나 심하게 걱정했는지 아무도 모를 것이다.
조마조마한 마음 때문이었을까. 손발이 저렸다. 철현 씨는
내 말을 듣고 한동안 아무 말도 하지 않았다. 그저 나를 가
만히 응시하면서. 짧은 침묵이 그렇게 길게 느껴질 줄이
야. 초조하게 철현 씨의 대답을 기다리고 있을 때 마침내
그가 입을 열었다.

　"수향 씨…."
　"네? 네."
　"솔직히 말해서 다른 사람이 이런 말을 했다면 전 아마
절대 못 믿었을 거예요. 상식적인 상황은 아니잖아요. 쉽
게 말하면 예지 능력이 있는 목소리를 듣는다는 거잖아요.
그런데요. 세상에는 상식적인 일만 일어나는 게 아니니까
요. 수향 씨 말이라서 믿어요. 수향 씨가 하는 말이라면 달
라요. 지금까지 제가 봐온 수향 씨는 말이 좀 많긴 하지

만….”

진지하게 말하던 철현 씨가 피식 웃었다가 계속 말을 이어 나갔다.

“그렇다고 허무맹랑한 거짓말을 할 사람은 절대 아니거든요. 수향 씨 말 믿어볼게요. 아니다. 믿어요. 그냥 믿어요. 수향 씨가 들린다면 들리는 거죠.”

눈물이 찔끔 났다. 나를 아껴주는 그 마음이 진심으로 고마웠다. 안도가 되어 가슴을 쓸어내렸다.

“철현 씨. 정말 믿어주시는 거죠?”
“그럼요. 믿고 말고요. 사랑하는 사람이 하는 얘기를 안 믿으면 안 되죠.”
“다른 남자들은 하나같이 안 믿었거든요. 진지하게 듣지도 않고요. 병원 가라는 남자도 있었죠.”
“그 사람들은 수향 씨를 사랑하지 않았나보죠.”
“그랬던 걸까요?”
“자, 그럼 이제부터 본격적으로 말씀해보실래요? 그 목소리는 언제부터 들리기 시작한 거죠? 목소리에 대해서 좀 더 자세히 듣고 싶은데요.”

"저, 철현 씨. 좀 긴데 천천히 다 얘기해도 될까요?"

"당연하죠. 저 말이죠. 수향 씨 얘기 듣는 게 취미인 사람입니다. 아시면서."

나는 한결 마음이 편해졌다. 우리는 서로 마주 보고 웃으며 대화를 이어갔다. 역시 내가 주로 말을 하고, 철현 씨가 고개를 끄덕이며 듣는 식. 난 그때 작정하고 나의 지나온 삶을 전부 다 얘기했다. 언제부터 목소리가 들리기 시작했는지, 목소리가 내 삶에 어떤 식으로 영향을 미쳤는지, 언제나 나를 걱정하고 또 격려하는 목소리가 얼마나 내게 중요한 존재인지…. 철현 씨는 내 얘기를 하나도 놓치지 않고 다 흡수하겠다는 듯 내 얘기를 듣고 또 들었다. 그리고 다음 날 나의 어머니로부터 남들과 다른 너의 삶을 축하한다는 말을 들었다. 내가 몰랐던 목소리의 또 다른 비밀이 있다는 걸 철현 씨에게 고백하고 난 다음에 알게 된 것이다.

—

우린 5년 연애 끝에 마침내 결혼했다. 연애하는 동안 일일이 나열할 수 없을 정도의 수많은 일이 있었다. 사소한 오해로 싸우기도 하고 때때로 토라졌다. 서로 바빠서 소원해진 시기도 있었다. 그러니까 보통의 연인들이 대체로 그렇듯 우리 역시 권태기를 겪었다. 그런데도 결국 우리는 모든 걸 극복해냈다. 우리 사랑의 밑바탕에는 믿음이 굳건하게 버티고 있었다. 덕분이었다. 철현 씨와 난 서로를 진심으로 믿었다. 나를 끝까지 믿어주는 사람이 있다는 안정감은 예상보다 훨씬 더 위력적이었다. 철현 씨와 함께라서 목소리와 안정적으로 공존할 수 있었다. 철현 씨가 단 한 번도 목소리의 존재를 의심하지 않고 적극적으로 믿어줬기에 우리는 연애할 때와 신혼일 때 둘이면서 때론 셋이었다. 목소리는 우리의 인생에 지나치게 개입하지는 않았지만, 정신적인 스트레스를 꽤 줄일 수 있을 만큼 커다란 영향을 끼쳤다. 미래에 대해서 결정적인 순간을 미리 알려주는 목소리가 도움이 안 될 리가 없었다. 단칸방에서 시작한 신혼살림이었지만, 행복했다. 별거 아닌 일에도 많이 웃었다. 특별한 일이 없어도, 엄청 풍족하지 않아도 전혀 상관없었다. 마음만은 든든했다. 우리 둘의 사랑이 삶에서 모자란 부분을 빈틈없이 채워갔다. 낭만이 있던 시절이었다. 누가 뭐래도 사랑이 가장 중요한 가치라는 걸 잊지 않을 수 있는 시대였다.

자식은 둘을 낳았다. 아들 하나, 딸 하나. 4살 터울로 나이 차이가 좀 있다. 장남 같지 않은 아들과 마치 첫째 같은 딸. 목소리는 육아에도 도움을 주는 조언을 곧잘 하곤 했다. 역시 지나치지 않을 정도로만. 목소리의 조언에 따라 아이들에게 되도록 잔소리를 안 하려고 무던히 애를 썼다. 아이들이 아이다울 수만 있다면 충분했다. 남편과의 사이도 변함없었다. 아이들은 별 탈 없이 무럭무럭 건강하게 자랐다. 그렇게 난 행복이 영원할 줄 알았다. 평화롭게 지내던 어느 날, 잠에서 깰 때쯤 익숙한 목소리가 내게 조심스럽게 속삭였다. 잠이 확 달아날 만큼 충격적인 얘기였다.

[수향아, 이 말을 하는 게 좋을지 나도 망설였어. 그래서 많이 고민했는데, 아무래도 네가 마음의 준비를 할 수 있도록 말해주는 게 나을 것 같다고 판단했어. 네 남편, 곧 영영 고칠 수 없는 병에 걸려. 그러니까 내년이면 이 세상에 더는 존재하지 않아. 갑자기 이런 말을 전해서 정말 미안해.]

잠에서 깬 나는 망연자실한 상태로 멍하게 있을 수밖에 없었다. 자리에서 굳어버린 듯 쉽사리 일어날 수 없었다. 그대로 앉아 있으니 조금 있다가 나도 모르게 따뜻한 눈물이 뺨을 타고 흘러내렸다. 날벼락 같은 목소리의 예언에 숨쉬기 힘들 만큼 가슴이 답답해졌다. 목소리의 예언이 틀린 적은 거의 없었다. 목소리는 여느 사람보다 훨씬 더 신중했다. 더구나 이렇게 중대한 상황을 앞두고 허튼 말을 늘어놓지도 않았다. 남편의 이른 부재가 기정사실화된 것이나 다름없었다. 옆자리에 누워있던 애 아빠는 아무것도 모른 채 곤히 잠들어 있었다. 시선을 돌리니 천진하게 자는 아이들도 눈에 들어왔다. 울컥 울음이 터져 나오려는 걸 가까스로 참아내고 흐르는 눈물을 꼼꼼하게 닦아냈다. 마음이 약해져서는 안 될 것 같았다. 이럴수록 내가 마음의 중심을 잘 잡아야겠다고 다짐했다. 천천히 심호흡하면서 마음을 추스르고 남편과 아이들을 차례대로 깨웠다. 아무 일 없다는 듯 행동하기가 쉽지만은 않았다.

"당신, 울었어?"
"어, 아니이…. 나 하품해서 그래. 원래 하품하면 눈물 나잖아."

눈치 빠른 남편이 내 얼굴을 보고 평소와 다른 걸 바로 알아차렸다.

"아닌 거 같은데?"
"됐어요. 얼른 씻으세요!"

시치미를 떼고 남편을 등 떠밀었다. 곧이어 잠투정도 하지 않고 일어나서 해맑게 웃는 두 아이의 얼굴을 보자니 더 마음이 아팠다. 아빠 없이 자랄 자식들의 미래가 순탄하지 않을 것 같았다. 아직 자신이 어떻게 될지 모르는 남편이 불쌍했다. 이 모든 걸 미리 알게 된 나의 운명이 기구하다고 느꼈다. 남편을 배웅하고 아이들을 유치원과 학교에 보낸 다음에 방에 드러누웠다. 다시 눈시울이 붉어지는 게 느껴졌다. 옆으로 누워 눈물이 관자놀이를 타고 흐르도록 내버려뒀다. 쉽게 그칠 눈물이 아니었다. 갑자기 목소리의 존재가 원망스러웠다. 언제나 꿈속에서 들려왔던 목소리. 내 친구처럼 다정했던 목소리의 존재가 이렇게 한순간에 무서워질 수 있다는 사실이 놀라웠다. 목소리를 듣는 능력이 아니라 저주일지도 모르겠다고 처음 생각했다. 목소리가 나에게 곧 남편이 세상을 뜬다는 어려운 얘기를 할지 말지 오래 고민했던 것처럼 나도 남편에게 얘기할지 말지 만약 한다면 언제쯤 하는 게 좋을지 일주일이 넘도록 결정하지 못하는 날들이 이어졌다. 그러나 남편은 계속 기다리는 사람이었다. 재촉하지 않았다. 내가 목소리를 듣는다는 비밀을 고백할 때처럼 이미 무슨 일이 있음을 감지하고 있었지만 내색하지 않았다. 남편의 명백한 배려였다. 고마웠다. 아이들은 내 아픈 마음을 눈치채지 못했다. 다행이었다.

목소리가 내게 아픈 미래를 미리 알려준 이유는 분명했

다. 변하지 않는 사실이 있다. 남편이 남은 우리보다 훨씬 더 빨리 이 세상과 작별한다. 그렇다면 남편 역시 마음의 준비를 미리 하도록 말하는 게 옳다. 남편이 목소리의 존재를 알지 못한다면 모를까. 이미 나와 그렇게 서로의 존재를 공유하고 있는 상황에서 얘기를 안 한다면 오히려 그게 기만이다. 그렇게 흩어져 있던 생각의 조각을 모아보니 남편에게 조금이라도 더 빨리 말하고 남은 시간을 더 충만하게 사랑하면서 지내는 게 나을 거라고 결론을 내렸다. 바로 그날 저녁, 아이들이 모두 잠든 후에 넋 놓고 TV를 보고 있는 남편에게 꼭 해야 할 말이 있다며 손을 잡았다. 남편은 기다렸다는 듯 손깍지를 끼며 날 바라봤다.

"우리 여보, 드디어 말하는 거예요? 무슨 일이에요? 저 궁금한 거 참느라 혼났어요."

호기심이 충족되면 남편이 어떤 표정을 지을지 선연해서 슬픔이 또 올라왔다.

"여보, 어떻게 말을 시작할지 도무지 모르겠어요."

내가 남편의 무릎에 얼굴을 묻고 울기 시작하자 남편은 내 등을 천천히 쓰다듬었다.

"무슨 일인데 이렇게 울어요?"

나는 남편의 얼굴을 쳐다보면 얘기할 자신이 없어 그 상태로 어렵사리 말을 꺼냈다.

"목소리가 그러는데 당신이…. 내년에는 우리 옆에 없을 거래요. 무슨 말인지 알아듣겠어요?"

그의 부드러운 손길이 순간 멈칫했다가 이내 다시 움직였다.

"…."

"당신이 곧 불치병에 걸릴 거래요. 어떻게 이럴 수가 있죠?"

남편은 당황하지 않고 나를 달랬다. 이제 곧 자신이 더 아플 텐데 아랑곳하지 않고 나의 마음을 다독이는 게 우선이라는 듯 침착하게 말을 이었다.

"인간은 누구나 다 죽어요. 조금 이르거나 늦을 뿐이에요. 그러니까 단지 내가 더 일찍 가는 것뿐이에요. 음…. 그래도 너무 빠르긴 하네요. 내가 당신한테는 정말 많이 미안해요."

　목소리는 그 뒤로도 자주 남편의 상태 변화를 얘기해줬
다. 목소리의 말대로 미리 마음의 준비를 할 수 있어서 다
행이었지만, 거스를 수 없는 운명의 날이 다가올수록 언제
그랬냐는 듯이 슬픔이 걷잡을 수 없을 만큼 거대해졌다.
목소리가 세상에서 가장 슬픈 소식을 미리 알려준 지 일
년 정도가 흐른 후 남편은 예정대로 어떤 기적도 없이 세
상을 떠났다. 그제야 알게 되었다. 정작 남편이 세상을 떠
났을 때 난 반드시 강해져야만 하는 상황에 봉착했음을 실
감했다. 내가 중심을 잡지 않으면 앞으로의 상황이 더 힘
들어질 수 있다는 사실이 눈에 훤했다. 그래서였을까. 그
렇게 틈나면 울었던 난 장례식 때 단 한 방울의 눈물도 흘
리지 않았다. 마음을 어떻게 가지느냐에 따라서 나도 충분
히 달라질 수 있었다. 다른 사람들의 시선 따위는 중요하
지 않았다. 내 가족을 지키는 것이 더 중요했다. 난 남편을
대신해 다시 가장이 되어야만 했다. 결혼하면서 그만뒀던
회사에 다시 나갔다. 두 아이를 끝까지 잘 기르는 것이 중
요했다. 아이를 낳는 것만으로 부모의 책임이 끝나는 것은
아니니까. 남편의 빈자리도 내가 잘 채워야 한다고 다짐했
다.

　딸아이는 워낙 어려서 아빠가 없다는 게 뭔지 잘 모르는

눈치였으나 아들은 달랐다. 아빠에게 매일 그림을 그려달라면서 떼를 썼던 아들은 아빠의 부재를 온몸으로 느끼는 것처럼 보였다. 먼 나라로 일하러 갔다는 말도 믿지 않는 눈치였다. 혼자서 쓸쓸하게 그림을 그리며 아빠와의 추억을 곱씹는 아들이 딱할 따름이었다. 가끔은 그림을 그리다 말고 대성통곡할 때 나도 아들을 안고 목 놓아 울곤 했다. 나도 어쩔 수 없는 사람인지라 그리 오래 가지는 못했지만. 아빠가 없는 아들은 조금 빨리 철이 드는 것처럼 보였다. 알아서 동생을 돌보려고 하는 오빠의 행동이 기특하기도 안쓰럽기도 했다. 목소리는 남편이 있을 때보다 아이들의 상황에 대해서 더 자세하게 알려주곤 했다. 내가 어떤 부분을 걱정하고 궁금해하고 있는지 다 안다는 듯이 미리 알려주는 날이 많았다. 덕분에 난 육아에 매몰되지 않고 경제적인 부분을 해결해 나가는 데 있어서 많은 도움을 받을 수 있었다. 사춘기 자녀에게 흔히 범할 수 있는 꼬치꼬치 캐묻기를 하지 않으면서 아이들을 수월하게 돌볼 수 있었다. 남편이 세상을 떠날 즈음에 잠시 목소리를 원망했던 마음도 세월이 흐르며 점차 희미해졌다. 아들은 대학교에 들어가며 홀로서기를 선택했다. 너무 확고하게 자기의 계획을 말하는데 들어주지 않을 재간이 없었다. 걱정이 되긴 했지만, 목소리는 아들의 선택을 존중하고 권장했다. 속는 셈치고 믿어야만 했다. 돌이켜보면 아들이 예민하긴 했어도 크게 탈선한 적은 없었다. 남편이 날 믿어줬던 것처럼 그 믿음을 아들에게 돌려줘야 할 때였다.

내가 거인이 되어 미지의 어떤 도시를 물끄러미 바라봤다. 해 질 녘의 노을이 도시 전체를 따스하게 감싸고 있었다. 눈을 한 번 깜빡이면 지구 반대편의 또 다른 도시를 보고 있다. 아름다웠다. 내가 거인이라 할 논리적인 근거는 없었다. 그런데도 나는 거인이라는 걸 의심할 수 없었다. 그렇게 몇 번 눈을 감았다 뜨니 나는 그야말로 평범한 사람의 크기로 변했고, 순식간에 기상은 악화하여 앞이 보이지 않을 정도의 눈이 사선으로 사납게 내렸다. 난 눈보라 속을 날며 그 압도적인 풍경에 취했다. 거센 바람과 눈이 었는데도 공포를 느끼기보단 투명 롤러코스터를 타는 듯 신났다. 그리고 날고 있던 나에게서 내가 빠져나와 다시 거인이 되었고, 거인이 된 나는 날고 있는 나를 바라봤다. 그때 목소리가 들려왔다. 이번에는 뭔가 중대한 메시지를 전하려고 하는 듯했다.

[네 아들도 이제 고비를 넘기고 훌쩍 컸어! 내가 무슨 말 하는지 잘 알 거야! 너의 어머니가 너에게 갑자기 축하한 다고 했던 그날 기억해? 이젠 수향이 네가 아들에게 축하 를 건네야 할 때가 왔어.]

목소리의 역사

목소리가 말하고자 하는 바는 간단했다. 알고 보니 아들
도 나처럼 목소리를 듣는 능력이 있었던 것이다. 그리고
용기를 내서 누군가에게 자신의 비밀을 털어놨고 그 마음
이 온전하게 받아들여졌다는 것. 무척 가까운 친구라고 했
다. 아들에게 둘도 없이 소중한, 그런 친구. 상대를 잘 골랐
다. 나와 같은 현상을 겪어냈을 아들의 고뇌가 내 것처럼
가깝게 느껴졌다. 나에게 가장 먼저 말하지 않은 것은 좀
아쉽긴 했지만, 또 따지고 보면 나도 내 어머니한테 가장
먼저 말했던 것은 아니었으니까 서운해할 필요도 없었다.
오랜만에 아들에게 전화를 걸었다. 많이 놀란 눈치였다.
거의 문자로 안부를 물었던 내가 대뜸 전화부터 했으니 그
럴 만도 했다. 아들이 계속 내게 무슨 일 있냐고 물었으나
직접 얼굴을 보고 말해주고 싶은 마음에 일단 집으로 오라
고 말했다.

'어머니, 무슨 일 있나요?'
'아니야. 아무 일 없어. 그냥 아들 얼굴 보고 싶어서 그
래.'

일찍 들어온 딸이 자기 방에서 옷을 갈아입는 동안 아들
이 도착했다. 아들은 정말 궁금했던 모양이다. 내가 왜 갑
자기 불렀는지. 그냥 보고 싶었다는 말도 전부가 아니라는

듯 아들은 내게 무슨 일 있는 것은 아닌지 재차 물었다. 그 사이 편한 옷으로 갈아입은 딸이 나오자마자 오빠를 나무 랐다.

"아, 오빠 집에 얼마 만에 왔는지 알아? 엄마가 오빠 얼 마나 보고 싶어 했는데!"
"내가 그렇게 오래 안 왔나?"

아들이 머리를 긁적이며 거실 소파에 앉자 딸이 그 옆에 딱 붙어 앉아서 미주알고주알 자신의 최신 근황을 얘기했 다. 어릴 때부터 아들을 잘 따랐던 딸. 딸을 잘 챙겼던 아들 의 모습이 눈에 비치자 피식 웃음이 나왔다. 오랜만에 세 식구가 함께 저녁을 먹었다. 제 아비처럼 김치찌개를 참 좋아하는 아들. 오랜만에 어미가 해준 식사가 그리웠는지 밥공기를 깨끗하게 비웠다. 딸은 밥 먹을 때도 쉬지 않고 떠들더니 금세 피곤하다며 방으로 먼저 들어가면서 아들 에게 말을 건넸다.

"오빠! 나 먼저 쉰다. 엄마랑 얘기 좀 많이 해. 나처럼!"
"알았어. 얼른 쉬어."

딸이 들어가고 아들과 나란히 드라마를 보기 시작했다.

아들이 계속 내 눈치를 봤지만 바로 얘기해줄 수는 없었다. 어떻게 얘기하는 게 좋을지 나도 머릿속으로 정리를 해야 할 필요가 있었다. 평소에는 잘 보지도 않았던 드라마를 뚫어져라 보면서 지난날을 돌아봤다. 아들이 내 속을 무척 심하게 상하게 했던 일이 떠올랐다. 별일도 아닌 걸 가지고 낙담해서 방학인데도 집에 오지 않고 자취방에서 은둔하고 있던 아들을 찾아갔던 일. 사실 그때 난 목소리의 도움을 받아서 헤매지 않고 주인집 아주머니에게 곧장 찾아가서 키를 받았었다. 여태껏 아들은 그 당시 내가 동네방네 수소문하느라 꽤 고생한 것으로 알고 있었다. 그래서 내게 더 미안해했던 아들. 그날의 비밀을 알려주면 자연스럽게 아들의 성장을 축하할 수 있을 듯했다.

"예전에 엄마가 네 자취방 어떻게 알아냈는지 기억나니?"

"응? 알죠. 그걸 어떻게 잊어요. 갑자기 그건 왜요?"

"아들, 그 말 진짜 믿은 거야?"

"네, 그럼요. 그때 얼마나 죄송했는데요."

"오늘 내가 널 부른 건 네가 드디어 용기를 냈다는 걸 알아서야. 축하해."

아들의 어리둥절한 표정이 귀여웠다.

"네? 어머니, 그게 무슨 말이에요?"

"너, 어제 멋졌어. 용기가 대단해!"

"무슨 말씀하시는 건지 통 모르겠어요."

"나, 네 엄마야. 변정원, 네가 어떤 놈인지는 내가 제일 잘 알지. 고생했어. 너 괜찮아. 사는 데 아무 지장 없으니까."

아들은 그제야 믿을 수 없다는 듯이 나를 다시 쳐다봤다.

"어머니, 설마?"

"그래, 엄마도 너랑 똑같아. 나도 목소리를 듣는다고."

아들은 내 말을 듣고 드디어 인생의 큰 비밀이 어디에서부터 비롯되었는지 알게 되었다는 듯 슬며시 미소 지었다. 미소는 잔잔했지만, 진심으로 기뻐하고 있다는 사실은 말하지 않아도 알 수 있었다. 아들이 웃으니 나도 따라 웃었다. 함께 웃고 있자니 오래전 우리 곁을 떠난 이의 영원히 그리운 이름이 떠올랐다. 변철현. 내 아들 변정원의 하나밖에 없는 아버지. 새삼 둘의 미소가 정말 닮았다는 걸 알 수 있었다. 우리 곁에는 많은 목소리가 존재한다. 목소리의 존재를 아는 사람은 극히 드물다. 남들과 다른 나를 인

목소리의 역사

정해주고 아껴줬던 철현 씨처럼 그 아이도 내 아들 정원을
잘 아껴주리라 믿는다.

　십여 년 전 내가 다녔던 직장은 업무 특성상 근무 요일이 매번 유동적이었다. 따라서 평일, 주말의 개념이 별로 중요하지 않았던 곳이다. 특히 주말 근무가 메인에 더 가까워서 평일 휴무가 오히려 일반적이었을 정도. 주말에 남들이 다 쉴 때 못 쉰다는 게 못내 아쉽긴 했지만, 그런 사소한 불편함도 시간이 흘러 적응하다보니 평일에 자유롭게 시간을 쓸 수 있다는 게 더 큰 장점으로 다가왔다. 2013년 10일 17일, 내게 주어진 휴무일, 목요일이었다. 날짜도 잊을 수 없는 그날. 아침마다 반복되는 알람 소리에 눈을 뜨니 오전 8시가 조금 안 되었던 시간. 썩 이른 기상도 아니었지만, 그렇다고 늦잠이라고 볼 수도 없는 어정쩡한 시간이었다. 다행이었다.

　그날은 기다리고 기다렸던, 내 취향의 영화가 개봉하는 날이었다. 우주를 탐사하면서 벌어지는 돌발 사건을 다룬, 그 SF영화를 좀 더 좋은 환경에서 관람하기 위해 난 여러 극장을 비교한 끝에 삼성역 근처에 있는 대형 멀티플렉스 영화관을 낙점했다. 물론 준비성이 철저한 나답게 표는 전날 미리 예매했다. 조조 상영 바로 다음 시간대였던 오전 11시 20분, 평일인데다가 입소문이 나기 전인 개봉 당일이어서 그랬는지 몰라도 빈자리가 넉넉했다. 난 원하는 자리를 고민하지 않고 수월하게 선택할 수 있었다. J11. 정중앙보다 스크린에서 약간 더 멀었던 J11은 평소 내가 선호하던 자리였다. 마침 양 옆자리도 다 비어 있어서 좋았다. 쾌적하게 영화를 관람할 수 있다는 기대감이 샘솟았다. 화면 손실을 최소화하여 구현하는 화면비와 실감 나는 입체 사운드가 특히 유명했던 그 상영관은 십 년이 지난 지금까지도 건재하다.

아침에 일어나서 빠르게 외출 준비를 마치고 극장에 도착하기 전까지 시간적 여유가 있다고 해도 역시 서울은 서울이었다. 경기도 오산이었던 내 거처에서 어떤 종류의 차편을 이용하더라도 강남지역 근처까지 보통 두 시간 가까이 걸렸기 때문이다. 차가 없던 시절, 난 보통 전철이나 시외버스를 이용하는 편이었다. 가끔 사당이나 강남에서 약속이 있을 때 시외버스를 이용할 때도 있었지만, 대체로 전철을 더 선호했다. 버스에서 책을 읽으면 머리가 아프지만, 전철에서는 그렇지 않다는 단순한 이유로. 하지만 집에서 전철역까지 거리도 만만치 않았다. 집에서 가장 가까운 전철역까지도 30분 이상 족히 걸렸다. 그래도 상관없었다. 시간이 정말 촉박해서 도저히 걷는 것으로 해결이 안 되는 특별한 경우에만 택시를 탔다. 택시 타는 날은 손에 꼽을 정도. 1년에 서너 번에 불과했다. 그날도 난 걸어서 가는 걸 택했다. 평소보다 걷는 속도를 조금만 더 높인다면 충분하다고 판단했다. 집을 나서자마자 햇살이 쨍하게 내리쬐었지만, 가을 공기의 서늘함 자체를 역전시키기에는 조금 부족한 듯 쌀쌀한 기운이 맴돌았던 게 기억난다.

전철역에 도착했을 때 청량리행 급행열차가 불과 몇 분 전에 떠났다는 걸 알았지만 아쉽지는 않았다. 완행열차가 곧바로 들어올 예정이라는 안내가 전광판에 막 표시되고 있었기 때문이었다. 전철로 삼성역까지 최대한 빨리 갈 수 있는 방법은 1호선에서 4호선 다시 2호선으로 두 번 갈아타는 거였고, 가장 적은 환승 방법은 1호선에서 2호선으로 한 번만 갈아타는 거였다. 난 주로 후자를 선호했다. (기껏해야 10분 정도 늦을 뿐인데 여러 번 갈아타는 건 내 성향과도 맞지 않았다.) 그렇게 곧 도착한 다음 전철에는 앉을 수 있는 자리가 드문드문 있었다. 자리에 앉아 책을 읽으려고 꺼냈다. 평소와는 달리 도무지 집중이 되지 않았다. 다시 책을 가방에 넣고 가만히 눈을 감았다. 나도 모르게 금세 잠이 들었다가 눈을 뜨니 신도림역에 가까워지고 있었다. 기지개를 켜면서 자리에서 일어났다. 내가 깜빡 졸았던 사이에 어느새 사람들이 열차 안을 가득 메우고 있었다. 규모가 큰 환승역이라서 그런지 신도림역에서 일제히 많은 사람이 쏟아지듯 열차에서 내렸다. 나 역시 수없이 많은 익명의 사람들과 함께 하차했다. 군중 속에서 익명이 되어 걸을 땐 마음이 편했다. 2호선 전철도 얼마 기다리지 않아 금방 도착했다. 1호선과는 달리 내가 앉을 자리는 보이지 않았다. 1호선에서 집중이 되지 않아 가방에 넣어뒀던 책, 단편 소설집을 다시 꺼냈다. 대략 가늠해 보니 삼성역까지는 짧은 단편소설 한 편 정도는 충분히 읽을 수 있을 정도였다. 선 채로 읽으니 오히려 집중이 잘 되었다. 졸음도 달아났다. 그 소설은 일상에서 두 친구가 만나는 하루에 대해서 자세하게 묘사하고 있었다. 딱히 드라마틱한 사건이 벌어지지도 않았다. 그냥 친구끼리 만나서 밥 먹고 차 마시고 산책하다가 헤어지는 그런 흔한 내용. 단조로운 이야기의 흐름에도 불구하고 문장이 탄탄해서였는지 자꾸 다음 문장을 궁금하게 만드는 힘이 있었다. 난 집중력이 그리 뛰어난 편이 아니었다. 그럼에도 불구하고 나는 삼성역에 도착하기 전에 마지막 페이지까지 다 읽었다. 아이러니한 건 그 소설을 누가 썼는지 아쉽게도 지금은 제목도 작가도 기억나지 않는다. 그날 지하철에서 그 소설을 완독했다는 사실만, 그 소설이 잘 읽혔다는 사실만 희미하게 기억날 뿐이다.

삼성역에서 내린 난 걸음을 재촉했다. 역에서 극장까지의 거리도 꽤 멀었으니까. 조금이라도 일찍 들어가서 마음 편하게 영화가 시작되기를 기다리는 게 더 좋으니까. 평일의 여유를 느끼며 기다렸던 영화를 드디어 보게 된다는 설렘에 기분이 한껏 들떴다. 상영관에 들어서자 광고가 한창 상영되고 있었다. 예상한 대로 사람들이 많지 않았다. 핸드폰 플래시와 대형 스크린에서 나오는 불빛에 의지해 내가 전날 예매했던 자리의 위치를 가늠했다. 군데군데 커플과 혼자 온 사람이 뒤섞여 앉아 있었다. 암순응이 완전히 되었을지라도 방심하다가는 어둠 속에서 발을 헛딛을까 봐 조심조심 움직였다. J11을 찾아서 앉으려 할 때 무의식적으로 뒤에 앉은 사람들을 한번 쫙 훑어봤다. 어라, 어디선가 봤던 여자가 앉아 있는 것이었다. 확실하지는 않았지만 분명 아는 얼굴이었다. 어디서 봤을까. 바로 기억나지 않았다.

의문이 해결되지 않은 채로 J11 좌석에 앉아 몇 편의 광고 영상을 연달아 봤다. 전날 예매한 상황 그대로 양 옆자리에는 관람객이 없는 상태였다. 준비된 광고가 다 끝나자 마침내 기다리던 영화가 시작되었다. 오프닝부터 끝을 알 수 없는 광활한 우주가 펼쳐졌다. 장관이었다. 평온했던 우주에서 임무를 수행하며 유영하는 우주인들을 보며 경이로워하기도 잠시, 바로 엄청난 재난 상황에 돌입했다. 마치 내가 우주 미아가 된 것처럼 아찔했다. 단순히 보는 것에 그치는 게 아니라 온몸으로 체험하는 영화라는 평이 무얼 의미하는지 대번에 알 수 있었다. 영화는 내 기대보다 훨씬 더 재미있었다. 그런데 문제가 생겼다. 온 신경을 다해 집중한 채로 영화를 잘 보고 있었는데, 가장 중요한 클라이맥스 장면이 펼쳐질 때쯤이었을까. 영화가 시작되기 전에 스치듯 봤던 여자의 얼굴이 화면에 자꾸 어른거렸다. 분명 아는 얼굴이었다. 그런데 도대체 어디에서 만났는지 나와 어떤 인연인지 떠오르지 않으니 스크린에 온전히 집중하기가 어려워졌다. 괜히 억울했지만, 영화가 끝날 무렵부터 난 그저 한 공간에서 함께 영화를 본 그 여자가 누군지 환한 곳에서 꼭 확인하고 싶은 마음이 생겼다. 엔딩 크레딧이 올라갈 때의 여운을 즐길 겨를도 없었다. 어둠 속에서 급하게 자리를 벗어나 퇴장로 쪽으로 신속하게 발걸음을 옮겼다.

밖은 환했다. 영화를 제대로 즐기지 못한 아쉬움보다 그 여자가 누군지 궁금증을 곧 풀 수 있다는 기대감이 더 커지며 가슴이 두근거렸다. 사람들이 하나둘씩 빠져나오며 내 옆을 무심하게 스쳐 지나갔다. 별생각이 다 들었다. 그 여자는 아직 나오지 않았는데 사람들이 점차 줄어들었다. 내가 착각한 걸까. 내가 아는 사람과 닮았던 것뿐일까. 물음표가 무한 증식했던 짧은 순간 마침내 한 여자와 눈이 딱 마주쳤다. 우리의 눈은 자석처럼 서로를 끌어당겼다. 그 여자와 눈이 정면으로 마주친 순간, 고민했던 게 무색할 정도로 어딘가로 유실되었던 내 기억이 너무 쉽게 돌아왔다.

"어?"

"어?"

"민혁 씨?"

"어? 혜지 씨?"

누가 먼저랄 것 없이 거의 동시에 서로를 호명했다. 그 여자의 이름은 혜지였다. 반년 정도 짧게 일했던 전 직장에서 동기였던 혜지 씨. 전 직장 동료였다. 궁금증이 풀린 만큼 속이 시원했고, 무척 반가웠다. 서울에는 수많은 멀티플렉스 영화관이 있다. 그중에서도 하필이면 이 멀티플렉스의 특정 상영관에서 주말도 아닌 어정쩡한 목요일 오전에 전 직장 동료와 같은 시간 같은 영화를 보고 나오면서 만날 가능성은 얼마나 될까. 절대적인 확신까지는 아니었으나 어쨌든 나의 직감을 한번 믿어본 보람이 있었다. 몇 년 만에 본 혜지 씨는 전보다 살이 조금 빠져 보였으나 그녀의 표정은 전보다 훨씬 더 환하고 다채로웠다. 뭐랄까. 역동적이었다.

"민혁 씨, 여기 어쩐 일이에요? 어디였더라. 맞다! 민혁 씨 천안 산다고 하지 않았나요?"

"천안이 아니라 오산이에요. 경기도 오산. 진짜 반갑다. 어떻게 이렇게 만나죠?"

"그러니까 말이에요. 저 알아보신 거예요?"

"네, 어…. 그러니까…. 그런 셈이죠. 아까 영화 시작 전에 혜지 씨 봤던 것 같아요. 솔직히 말해서 딱 떠오르진 않았는데 분명 아는 사람이라고 믿었거든요. 그래서 혹시나 하는 마음에 나와서 잠깐 기다렸죠."

"진짜 신기하다. 여기서 아는 사람 만날 줄은 정말 몰랐네요."

"전 계속 기억 안 나다가 눈 마주치자마자 혜지 씨 이름이 갑자기 떠오른 것도 너무 신기해요."

"우리 나름 친했잖아요."

"그럼요. 친했죠."

극적으로 만난 우리는 터널 같은 퇴장로를 나란히 걸으며 함께 회사에 다녔던 시절에 관해 대화를 나눴다. 그대로 인사만 하고 헤어지는 게 무척 아쉬울 것 같았던 난 잠시 생각하다 혜지 씨에게 다소 급하게, 그렇지만 간절하게 제안했다. 회사 다닐 때도 따로 만난 적은 단 한 번도 없었던 혜지 씨에게 진부하지만 확실한 의사가 포함된 말을 건넸다.

"어…. 혜지 씨, 이렇게 만나는 것도 쉽지 않은데 혹시 시간 되시면 커피…. 한 잔 어떠세요?"

내가 조심스럽게 제안해서 그랬는지 몰라도 혜지 씨도

바로 대답하지는 않았다. 잠시 망설이는 듯 핸드폰으로 시간을 확인하더니 이내 고개를 끄덕이며 대답했다.

"좋아요. 늦은 점심 약속이 있긴 한데…. 괜찮을 것 같아요."

기뻤다. 살아오면서 이 정도의 우연한 만남은 처음이었다. 어떠한 약속도 없이 이런 식으로 갑자기 만날 수 있다는 사실이 새삼 놀라웠다. 신에게 감사했다. 혜지 씨는 그 회사에서 일하는 동안 사회 초년생의 고단함을 적극적으로 공감하며 꽤 친하게 지냈던 사이. 내가 먼저 회사를 그만둔 뒤 자연스럽게 연락이 끊겼다. 연락을 해보려고 고심하다가 괜한 부담을 주는 듯 싶어서 몇 번이나 가까스로 멈추곤 했다. 혜지 씨는 마음 편하게 대화할 수 있었던 사람이 누가 있을까 떠올려보면 언제나 먼저 생각나는 몇 안 되는 사람 중 하나였다. 인연이라는 게 있는 걸까. 꼭 만날 사람은 이렇게 우연으로라도 만나게 되는 건가 싶어서 기분이 좋아졌다. 우리는 영화관을 완전히 벗어나 천천히 걸었다. 그리고 그리 멀지 않은 곳에 있는 적당한 규모의 개인 카페가 눈에 띄자마자 함께 들어갔다. 나는 뜨거운 아메리카노를, 혜지 씨는 차가운 바닐라 라떼를 시켰다. 서로 계산하겠다며 혜지 씨와 난 신용카드를 거의 동시에 꺼내 들었는데 옥신각신한 끝에 먼저 이 자리를 제안한 사람이 내는 게 맞지 않느냐면서 내가 값을 지불하고 혜지 씨에게 대신 자리를 맡아달라고 부탁했다. 혜지 씨는 알았다며 곧 창가에 있는 자리로 이동했다. 혜지 씨가 자리로 가는 동안 난 추가로 얼그레이 조각 케이크 하나를 더 시킨 다음에 계산을 마쳤다. 카운터 앞에서 음료와 디저트를 기다렸다. 그때 난 혜지 씨와 우연하게 마주친 행복한 상황이 좀처럼 믿기지 않았다.

"어? 케이크는 뭐예요?"

"저 배가 좀 고프네요. 같이 먹어요. 식사 전에 간단하게 요기하신다고 생각하고요."

"그래요. 민혁 씨 여전하시네요."

"네? 어떤 게….'

"배려하는 게 아주 자연스러우시잖아요."

"아, 그렇게 좋게 봐주시면 저야 감사하죠."

혜지 씨는 슬며시 미소를 지었다. 식전 디저트가 싫지는 않은 눈치였다.

"지금도 거기 다니시는 건가요?"

"아뇨. 저도 민혁 씨 그만두신 다음에 얼마 안 있다가 나왔죠."

"그러셨구나."

"분위기 아시잖아요. 오래 다닐 곳은 아니었죠."

"그래도 혜지 씨는 잘 적응하시는 거 같아 보였는데…."

"겉으로 보이는 게 다는 아니잖아요. 지금 말하긴 뭐하지만, 저 그때 상담센터도 다녔어요."

"정말요? 전혀 몰랐네요."

"동네방네 소문낼 필요는 없었으니까요. 다 필요 없고 저도 회사 그만두니까 금방 괜찮아졌어요."

"지금은 어디 다니세요? 오늘은 연차?"

"아니에요. 저 다른 데 이직해서 몇 년 쭉 다니다가 얼마 전에 퇴사했어요. 너무 일만 했더니 체력이 바닥났거든요."

"아, 그래서 평일에 영화를…."

"민혁 씨는요? 오늘 쉬는 날이에요?"

"네, 전 휴무가 일정치 않아요. 평일에 쉴 때도 많아요."

혜지 씨는 나와 함께 그 회사에서 일하는 동안 내면의 상처를 많이 입었다고 했다. 나만 그런 줄 알았는데, 혜지 씨도 마찬가지였다니. 새삼 놀라웠다. 옆 부서였던 혜지 씨는 나와 달리 근무할 때 언제나 밝은 모습이었는데, 그 걸 유지하기 위해서 남모르게 엄청난 노력을 했던 것이다.

다행인 건 혜지 씨가 이직한 회사는 그럭저럭 견딜 만한 분위기였다고 했다. 우리가 다녔던 곳처럼 최소한 사람 때문에 시달리진 않았었다고. 일 자체가 너무 많았을 뿐.

돌이켜보면 혜지 씨를 기억할 수밖에 없는, 인상적인 순간이 있었다. 협력기업이라 할지라도 직급이 꽤 높았던 담당자에게 전화로 쌍욕을 퍼부을 정도로 다혈질이었던 직속상관 박 팀장과 함께 일했던 난 언제나 살얼음을 걷는 기분이었다. 그러던 어느 날 저녁이었다. 전 직원이 빠짐없이 야근했던 그날따라 박 팀장은 작정하고 날을 잡은 것처럼 보였다. 파티션 너머 다른 부서 사람들에게까지 목소리가 다 들릴 지경으로 내게 몇 분이나 고함을 질렀다. 그때 난 방어할 기력조차 없었다. 가까운 동료들조차 자기 일에 몰두하며 그 상황을 모른 척했다. 그게 최선이었을 것이다. 이해한다. 함부로 끼어들 만한 상황은 아니었을 테니까. 진이 다 빠져버린 난 화장실을 갔다가 바로 자리로 돌아오지 않고 어두컴컴한 계단에 잠시 앉았다. 그러다 고개를 파묻고 눈물을 삼켰다. 박 팀장이 인격 모독을 한 것은 분명했으나, 일에 관해서는 내가 서투른 게 분명했으므로 달리 억울한 마음도 들지 않았다. 그냥 그 상황이 비참했을 뿐이었다. 한 5분 정도 지났을까. 조심스러운 발자국 소리가 희미하게 들리는가 싶더니 누군가 내 팔을 톡톡 쳤다. 놀란 나는 고개를 퍼뜩 들었다. 혜지 씨였다. 참으려

고 해도 이미 흘러내렸던 눈물 자국을 봤을지도 모른다고
추측하니 창피한 마음이 앞섰다.

"민혁 씨, 여기 있었어요? 뭐해요?"
"잠깐 한숨 돌리려고 나왔어요."
"박 팀장님, 너무 하시더라. 괜찮아요?"

혜지 씨에게 물었다. 그때 내가 추하게 울고 있었던 모
습 기억하느냐고. 혜지 씨는 미간을 찡그리면서 금시초문
이라는 듯 내게 반문했다.

"민혁 씨 회사에서 울었던 적 있어요? 전 기억이 잘 안
나는데요…."
"혜지 씨는 제가 힘들어하는 모습을 외면하지 않은 유일
한 사람이었죠."
"시간이 꽤 흘러서 그런가? 전 진짜 기억이 잘…."
"정말 기억 안 나세요?"
"네…."
"이걸 다행이라고 해야 할지 잘 모르겠네요. 좀 창피했
던 순간이긴 하지만요."

혜지 씨는 내게 결정적이었던 그 순간을 전혀 기억하지

못했다. 다행이라는 말을 한 것과 달리 난 몹시 아쉬웠다. 그녀의 한마디 덕분에 치욕적인 순간을 무사히 잘 넘겼는데 말이다. 만감이 교차했다. 계단에서의 기억 때문에 단지 동기라고 여겼던 그녀가 달리 보였고, 그녀에게 잠시나마 호감을 품었던 사실을 말하는 게 좋을지 잠시 고민이 되었다. 함께한 그 순간을 전혀 다르게 기억하고 있다는 사실을 서로 확인해서였을까. 갑자기 분위기가 어색해졌다. 괜히 각자의 음료를 열심히 마시는 듯한 기분이 들었다. 반쯤 먹은 케이크에는 더는 눈길도 주지 않은 채. 그렇게 잠시 어색한 침묵이 흐르는가 싶었을 때 혜지 씨가 말을 이었다.

"제가 기억 못 하면 어때요. 그리고 남자가 우는 게 뭐 어때서요? 힘들면 그럴 수도 있죠."

난 혜지 씨가 그 순간을 기억하지 못한다는 사실에 스스럼없이 쐐기를 박는 것 같아서 못내 서운한 마음이 들었다. 어쩌면 난 계단에서 마주했던 순간의 기억을 핑계 삼아 그녀와 더 깊은 교감을 하려고 했던 것 같다. 내 작은 치부를 드러내서라도 공통분모를 키우려고 했던 작은 시도가 시작부터 꼬인 기분이었다. 차라리 화제를 돌려야만 한다고 머리를 굴리고 있을 때 혜지 씨가 불쑥 함께 본 영화 얘기를 꺼냈다. 다행이었다.

"영화는 어땠어요?"

"아, 맞다. 우리 영화 같이 봤죠."

"그러니까요."

"저는 기대한 만큼 좋았어요. 절망 속에서도 희망은 피어난다는 단순한 메시지를 너무 잘 묘사했어요."

"그러셨구나. 저는 조금 지루하더라고요. 감독이 무슨 말을 하려는지는 너무 잘 알겠는데…."

"…."

"공간이 너무 한정적이어서 그랬던 것 같아요. 계속 까만 우주였잖아요. 나중엔 조금 졸기도 했어요."

"그래도 마지막 장면은 보셨죠? 제가 근래 봤던 영화 중에서는 최고였어요."

"네, 저도 그건 봤어요. 졸다가 음악 소리 때문에 깜짝 놀라서 깼는데 딱 그 장면 보고 나니까 영화가 끝났어요."

"그나마 다행이네요."

"아무튼 전 전체적으로 나쁘지 않은 정도였어요. 그냥 극장에서 볼 만한 정도?"

영화를 보면서 조는 걸 좀처럼 이해할 수 없는 사람이 나였는데 혜지 씨가 바로 그런 사람이었다. 영화에 대한 감상도 묘하게 갈렸다. 그녀와 나 사이의 심리적 거리가 좀처럼 좁혀지지 않는 기분이 들었을 때, 난 문득 깨달았다. 난 혜지 씨와 함께 회사에 다니던 시절처럼 다시 가까워지기를 기대하고 있다는 것을. 기대가 클수록 오히려 더 멀어지는 것처럼 느껴지는 그녀와의 거리를 좁히기 위해서 본능적으로 무척이나 애를 쓰고 있었다는 것을. 용기를 내지 못했던 나 자신에게 조금 실망했다는 것을. 그리고 어쩌면 이런 우연한 만남은 그녀와의 인연을 이어갈 수 있는 마지막 기회일지도 모른다는 것을. 그 어느 때보다 비장해진 난 영화 얘기를 하고 있던 그녀에게 맥락에 전혀 어울리지 않는 얘기를 꺼내고야 말았다.

"혜지 씨, 전…. 좋았어요."

"민혁 씨 취향은 존중할게요."

"그게 아니고요. 사실 혜지 씨가 좋았다고요."

"네?"

"혜지 씨를 좋아했던 것 같아요. 오늘에서야 그 사실을 확실하게 알았네요."

"어…. 저 지금 당황해도 되는 거 맞죠?"

"너무 갑작스럽죠? 저도 오늘 제가 이런 말을 하게 될 줄은 몰랐어요."

"괜히 미안해지네요."

"왜요?"

"저 아까 늦은 점심 약속 있다고 했던 거 기억나요?"

"…."

"남자친구랑 약속이거든요."

"아…."

혜지 씨는 왼쪽 네 번째 손가락에 있는 반지를 슬쩍 보여주면서 찡긋 웃었다. 혜지 씨의 손에서 반짝이고 있던 반지는 여지가 전혀 없는 의사 표현이었다. 우연을 가장해 신이 내려주신 기회 같은 건 없었다. 커피 한 잔을 제안하며 나도 모르게 자연스럽게 상상했던 모든 게 한순간에 물거품이 됐다. 그저 이렇게라도 혜지 씨를 볼 수 있었다는 사실에 만족해야만 했다. 그녀는 내게 반지를 보여준 다음에 곧바로 핸드폰을 확인했다. 시간을 확인하는 게 분명했다. 아니나 다를까. 혜지 씨는 서둘러 대화를 마무리하는 말을 꺼냈다.

"민혁 씨, 오늘 만나서 너무 반가웠어요. 그리고 저 좀 미안하기도 하지만, 솔직히 기분 좋네요. 누군가가 저를 좋아한다는 말은 언제 들어도 참 좋아요."

"불쾌하신 건 아니라서 다행이에요."

"아니, 무슨 말씀이에요? 전 감사할 뿐인걸요. 그래도 남자친구한텐 오늘 민혁 씨 우연히 만난 거 비밀로 해야겠다."

"그게 낫겠죠? 아무래도⋯."

"민혁 씨, 우리 이만 일어날까요?"

우리는 카페를 빠져나왔다. 혜지 씨는 계속 은은한 미소를 지었다. 자연스러운 미소였음에도 불구하고 혜지 씨의 표정을 보면서 내가 더 어색해져서 어쩔 줄 모르고 있을 때였다. 가까운 곳에서 다소 촌스러운 기본 핸드폰 벨소리가 들렸다. 벨소리의 주인은 혜지 씨였다. 굳이 안 그래도 되는데 그녀는 내게 핸드폰 화면을 보여줬다. 낯선 남자의 이름 옆에 하트 이모티콘이 선명하게 찍혀 있었다. 혜지 씨는 나에게 양해를 구하고 전화를 받았다. 애교 넘치는 목소리가 울려 퍼졌다. 조금 전에 나와 얘기할 때와는 전혀 다른 톤의 목소리였다.

'응, 영화 보고 나와서 목말라서 커피 한 잔 마셨지. 카페에서 방금 나왔어. 거기로 갈게. 예약은 미리 해 놓은 거지? 진짜 배고파. 응, 응, 알았어. 나도. 나도.'

혜지 씨는 예상보다 짧게 통화하고 바로 전화를 끊었다.

"민혁 씨, 이제 어디로 가세요? 전 차 가져와서 주차장으로 가야 해요."

"아, 저도 이제 배가 좀 고파서 뭐 좀 먹고 내려가려고요."

"그럼, 여기서 우리 헤어질까요?"

혜지 씨는 내게 손을 내밀었다. 손을 맞잡으며 내가 말했다.

"저도 반가웠어요. 오늘 제가 했던 말은 그래도 기억해주세요. 아니다. 잊어주세요. 아…. 괜히 창피하네요."

"괜찮아요. 그럴 수 있죠. 민혁 씨 마음은 감사히 받기만할게요."

"불편하지 않으시다면 제가 주차장까지만 배웅할게요. 부탁드려요."

그렇게 헤어짐을 조금이라도 유보하고 싶은 내 마음이 통했는지 혜지 씨는 흔쾌히 대답했다.

"민혁 씨 좋으실 대로요."

주차장까지 가는 동안에 나는 어떤 말도 할 수 없었다.

무슨 말을 하더라도 이미 사족이 될 게 뻔했으니. 혜지 씨
도 나의 허망한 마음을 눈치챈 것 같았다. 역시 아무런 말
을 하지 않고 천천히 자신의 차를 향해 걸음을 옮길 뿐이
었다. 차 앞에 도착해서 마지막으로 인사를 건네려고 머뭇
거릴 때 혜지 씨는 뭐가 번뜩 떠올랐다는 듯한 표정을 짓
더니 이내 나를 빤히 보면서 말을 건넸다. 그녀는 의외의
놀랄 만한 사실을 알려줬다.

"민혁 씨, 사실 아까 저 연기했어요."

"연기라니요? 그게 무슨 말이에요?"

"저 영화 보기 전에 민혁 씨 들어왔을 때 이미 알아봤어
요."

"네? 정말요?"

"오랜만에 봐도 딱 알아보겠더라고요."

"근데 왜 아까 그렇게 놀라셨어요?"

"그러니까 연기죠. 놀란 척."

"아아…."

나는 도무지 이해할 수 없어 혜지 씨에게 정말 처음부터
알아봤냐며 몇 차례나 물어봤다. 그녀는 몇 번이나 똑같이
그렇다고 대답했다. 혜지 씨는 내가 너무 놀라니까 순간
내 행동을 그대로 흉내내고 싶었다고 했다. 정말 감쪽같은

솜씨였다. 그녀는 참 엉뚱한 면이 있는 사람이었다. 곧 자신의 차에 탑승한 그녀는 시동을 걸고 창문을 내렸다. 나를 보면서 진짜 마지막 인사를 하고 유유히 주차장을 빠져나갔다.

"민혁 씨, 다음에 또 우연히 만나요!"

그렇게 혜지 씨의 마지막 인사를 들은 지 어느새 십 년 가까이 지났다. 그 뒤로도 혜지 씨가 종종 생각났다. 많이 보고 싶었다. 그렇지만 차마 연락할 수는 없었다. 혜지 씨는 우연히, 라는 단서를 붙여서 우리가 일부러 만날 수는 없는 사이라는 걸 분명히 표현했으니까. 원래 난 우연이라는 말을 참 좋아했다. 이제는 명백하게 과거의 일이 되었다. 혜지 씨와 만나고 헤어졌던 날 이후에 난 우연이라는 말을 마냥 좋아할 수만은 없게 된 것이다. 우연히 만나서 더 기뻤고 그녀에게 내 마음을 표현할 수 있는 행운이 있었지만, 바로 그 우연 덕분에 모든 가능성이 완벽하게 닫혀버렸다. 그녀는 어떤 삶을 살고 있을까. 그녀는 어떤 사랑을 하고 있을까. 이렇게 오랜 시간이 흘러서야 체념하게 되었다. 기억 속에 살아 숨 쉬는 그녀를 놔줄 때가 된 것이다. 이미 많이 늦었다.

투명인간

내가 남과 다르다는 걸 깨닫는 건 가벼운 충격을 동반하기 마련이지만, 처음 그 일을 겪었을 땐 머리가 핑 돌 정도로 혼란스러울 수밖에 없었다. 마음의 준비가 전혀 되어 있지 않았기 때문이다. 설령 마음이 완벽하게 준비된 상태였다고 해도 심히 당황하기는 매한가지였겠지만. 한번 상상해 보시라. 당신의 피부가 투명해진다면 어떨 것 같은가. 피부가 투명해져서 내 육체 속에 들어 있는 복잡한 장기들과 근육들이 생생하게 보인다는 건 내 삶과 취향이 투명하게 공개되는 것과는 전혀 다른 성질의 문제다. 영화를 보러 갈 때 매점에서 팝콘과 탄산음료를 구매하는 대신 편의점에서 내가 좋아하는 과자와 커피를 따로 골라 준비한다고 해서 누가 뭐라고 하지는 않는다. 그러나 피부가 투명해지는 건 다르다. 지나가다가 누군가 날 본다면 기겁하며 눈살을 찌푸릴 수도 있다. 심장이 약한 사람은 날 보고 기절할지도 모른다. 이렇듯 말도 안 되는 기묘한 현상이 설마 내 일이 될 줄이야.

부정 분노 타협 우울 수용

불과 한 달 전이다. 내가 일반적인 사람의 범주에서 벗어나기 시작했다는 걸 알게 되었다. 과 동기 민혁과 나름 알차게 금요일 밤을 보냈을 때만 해도 특별히 주목할 만한 징후가 있었던 건 아니다. 민혁과 나는 학교 근처에서 한 껏 기분을 내며 과음했다. 대체 소맥을 몇 잔이나 말아 마 셨는지 셀 수도 없었다. 우리는 술을 진탕 마신 다음 거나 하게 취해서 대다수 또래가 그러하듯 촌스럽기 짝이 없는 우정을 부르짖었다. 길거리에서 서로 어깨동무한 채 갈지 자로 비틀거렸다. 모르긴 해도 분명 꼴사나웠을 것이다. 체력이 아무리 좋은 나이라 해도 자정이 가까워지자, 둘 다 지칠 수밖에 없었다. 민혁은 최소한의 정신을 붙들어 잡아 택시를 타고 알아서 자기 집으로 갔고 나 역시 알딸 딸한 상태에서도 귀소 본능의 도움을 받아 내가 사는 원룸 을 겨우 찾아서 들어왔다. 그때 난 퍽치기를 당해도 이상 하지 않을 만큼 만취 상태였다. 아무런 사고 없이 무사히 돌아온 게 그나마 다행이었다. 들어오자마자 씻지도 않고 취기가 다 가시지 않은 채로 좀비처럼 움직이다 침대까지 는 올라가지 못하고 바닥에서 대자로 뻗어 잠들었다. 그 와중에 잠결에 뱀이 허물을 벗듯이 옷은 다 벗어놓고.

　새벽녘 무렵, 차가운 공기에 잠이 깰 만하니까 머리가 깨질 듯 아팠다. 게슴츠레하게 반쯤 뜬 눈으로 화장실 거 울을 보며 시원하게 오줌을 눌 때만 해도 전혀 몰랐다. 눈 곱이 덕지덕지 붙어 있어서 그랬는지 몰라도 내 모습을 정 확하게 확인할 수 없었으니까. 어푸어푸 세수하고 시야가 비교적 또렷해진 뒤에야 내 얼굴이 이상하다는 걸 눈치챘

다. 눈 아래 볼살의 일부분이 동그란 모양으로 움푹 들어
간 것처럼 보이는 것이었다. 뭐랄까. 입체적이라고 해야
할까. 수건으로 급하게 얼굴을 벅벅 닦고 눈을 크게 뜨고
다시 유심히 봐도 그 부위는 일반적으로 내가 알고 있는
살색이 아니었다. 자세히 보니 그건 내 두개골의 일부를
덮고 있는 근육처럼 보였다. 인간의 근육 따위는 인체 해
부 도감 같은 책 속에서 그림으로 보는 게 전부였는데 실
제로 내 속을 보게 되다니. 놀라서 가슴이 심하게 두근거
렸다. 문제의 그 부위에 손을 가만히 대봤는데 구멍이 뚫
린 것 같지는 않았다. 단지 그 부분의 살이 마치 핸드폰 투
명 젤리 케이스처럼 변해서 속이 다 보이는 것뿐이었다.
투명한 부분과 정상적인 살의 경계가 뚜렷하지 않았다. 경
계가 흐릿하게 번져 보였는데 자세히 보니 아주 느린 속도
로 꿈틀거렸다. 이건 꿈일 거야, 하고 고개를 흔들어보고
거울을 몇 번이나 확인해도 갑자기 정체를 드러낸 피부의
속성은 쉽게 달라지지 않았다.

  뿐만 아니었다. 볼의 이상 징후를 보자마자 무의식적으
로 내 몸을 구석구석 훑어봤다. 아니, 어떻게 이럴 수가. 눈
아래 볼살이 그런 것처럼 멀쩡했던 내 두 팔의 피부도 군
데군데 투명한 곳이 생긴 것이었다. 투명한 부위가 얼굴에
서부터 내려가는 걸까. 혹시나 해서 얼굴에 이어 팔의 투
명해진 부위를 문질러봐도 아무런 소용이 없었다. 투명한

피부는 원래 그런 것처럼 사라지지 않았다. 그대로였다. 화장실에서 급히 나온 난 냉장고를 열어 생수를 꺼내 벌컥 벌컥 마셨다. 눈을 질끈 감았다 떴다 반복했다. 혼이 나간 사람처럼 멍해졌다. 좀처럼 거울을 볼 엄두가 나지 않았다. 다시 화장실 거울을 보는 걸 포기하고 곧바로 이불 속으로 들어가서 모로 누웠다.

별생각이 다 들었다. 드디어 신이 나를 버린 건가, 엑스맨처럼 돌연변이가 된 건가, 신종 바이러스의 희귀한 증상인가, 나는 곧 죽고 마는가, 이제 앞으로 평범하게 사는 건 불가능한가 등등 수많은 의문이 찾아와 안 그래도 복잡한 내 머릿속을 마구 휘저었다. 내 최근 행적을 뒤돌아봤다. 4학년 2학기. 그러니까 학생의 신분으로 사는, 얼마 남지 않은 동안에도 열심히 공부하고 취업을 준비했다. 금요일 밤에 오랜만에 민혁과 술 한잔하는 것쯤은 일탈 축에도 끼지 못했다. 나름대로 열심히 살아온 나. 타인에게 피해를 주는 건 질색이었던 나. 그런 나에게 왜 하필 이런 일이 일어난 걸까. 미지의 누군가를 원망하는 마음이 눈덩이처럼 불어났다. 말도 안 되는 내 신체 변화를 믿고 싶지 않았다. 헛것을 본 거라고 여기고 싶었으나 엄연한 현실이었다.

전날 술을 함께 마셨던 민혁에게도 이해할 수 없는 내몸의 변화를 얘기하려다 꾹 참았다. 나도 내 피부가 믿기지 않는데 민혁은 오죽할까 싶었다. 다분히 현실적인 민혁의 성향을 미루어 짐작해볼 때 이런 얘기를 해봤자 미친놈 소리 들으면서 욕이나 한 바가지 먹는 것 이외에 다른 일은 상상할 수 없었으니까. 당장 민혁을 만나서 하소연할 수도 있겠으나 그래봤자 달라지는 게 있을까 싶어서 이내 체념했다. 대체 이게 무슨 일인가, 하면서 좀처럼 마음이 진정되지 않았던 그날의 기억이 어제처럼 선명하다.

부정 **분노** 타협 우울 수용

내 신체의 이상한 변화를 처음 목격했던 바로 그날, 부정하고 싶은 마음이 불쑥 올라왔을 때 별안간 커뮤니티에서 읽었던 이상한 글 하나가 스치듯 떠올랐다. 별 희한한 사람이 다 있네, 하면서 대수롭지 않게 넘겼던 글. 벌떡 일어나 책상 위에 있는 노트북을 펼치고 자주 들어가던 커뮤니티에 접속했다. 자유 게시판에 '투명인간'이라는 키워드로 검색하니 제목과 내용에 투명인간이 포함된 글부터 투명인간과는 전혀 무관한 다른 최근 글까지 죄다 검색되었다. 클릭하면서 페이지를 넘기기를 몇 차례, '이런 사람도 투명인간이라고 불러야 할까요?'라는 제목의 글을 찾아냈다. 얼핏 봤던 기억이 틀리지 않았던 것이다.

복잡미묘한 마음으로 본문을 다시 훑었다. 다시 읽어도 작성자의 목격담 내용은 간단했다. 홍대 거리에서 늦은 시

간에 술을 마시고 집에 들어가는 길에 어떤 사람이 흐느적
거리면서 자기 옆을 지나가더랬다. 그냥 모른 척하고 지나
가려고 했는데, 아무리 봐도 휘청거리는 그 사람이 지나치
게 취한 것 같아서 도와주려고 방향을 돌려 그 사람을 쫓
아갔다고 했다. 괜찮으세요, 하며 가까이 붙어 부축하려고
하는데 얼굴의 피부가 군데군데 투명하여 속이 다 보였고,
글쓴이는 너무 놀라 그대로 줄행랑을 쳤다는 내용으로 끝
을 맺는, 조작을 의심할 만한 그런 글이었다.

　그저 믿기 어려운 글이라고 여겼다. 터무니없는 망상에
가까운 글이라고 치부하며 무시했다. 본문 밑에 주르륵 달
린 댓글을 자세히 확인해보니 '그딴 얘기를 믿으라는 거
냐?'와 같은 대다수의 불신 파와 '혹시 사진은 찍으셨나
요?'와 같은 극소수의 호기심 파로 나뉘어 있었다. 글쓴이
는 사진은 못 찍었지만 정말 자신의 두 눈으로 똑똑하게
봤다고 대댓글로 항변하고 있었다. 글쓴이가 묘사하고 있
던 피부가 투명했던 그 사람, 나와 무척 흡사한 게 분명
했다. 나와 비슷한 증상을 가진 사람이 이미 목격되었다
니. 새삼 놀라웠다.

　나는 커뮤니티에 글을 남길지 말지 한참 고민하다 결심
했다. 투명인간 목격담이 올라온 바로 그 커뮤니티에 익명
으로 시치미를 떼고 글 하나를 쓰게 된 것이다. 이번에는
당사자로서 직접 겪은 일을 자유 게시판에 남겼다. '아무

래도 저 투명인간이 된 것 같아요.'라는 제목으로 사람들의 관심을 적극적으로 끌고자 했다. 내 몸의 변화를 비교적 차분하게 묘사하는 내용과 거울에 비친 내 팔을 클로즈업해서 찍은 사진까지 하나 포함해서. 글에 대한 반응이 댓글로 달리기 전에 이불을 덮고 잠을 청했다. 방금 사진까지 찍었지만, 내 모습을 직면할 용기가 크지 않은 상태라서 거울을 다시 보진 않았다. 한숨 자고 일어나면 모든 것이 꿈이었던 것처럼 피부 상태가 원상 복귀되리라는 일말의 기대도 있었다. 그렇게만 된다면 당장 내 앞에 직면한 문제가 해결되지 않더라도 우울하지 않을 것 같았다. 이를테면 취업 같은 건 좀 느지막이 해도 괜찮을 듯싶었다. 아니, 피부가 이 지경인데 취업은 꿈이나 꿀 수 있을까. 억지로 누웠지만 잠은 오지 않았다. 이불을 덮은 채 계속 뒤척거렸다. 허리가 욱신욱신 아파도 참아냈다. 온갖 상념이 머릿속을 빠르게 통과했다. 생각이 눈덩이처럼 커질수록 피곤함도 배가 되었다.

그렇게 온종일 누워 있다 저녁이 되어서야 이불을 걷고 침대에 걸터앉았다. 어느새 사위가 어둑어둑해졌다. 창밖의 풍경을 바라보는데 뭔가 서글펐다. 왜 하필이면 내게 이런 말도 안 되는 일이 일어난 걸까. 분위기 파악 못 한 지독한 숙취가 뒤늦게 올라왔다. 분위기 파악을 더 못 한 내 배는 얼큰한 라면 국물을 간절히 원했다. 집 근처 편의

점에 가서 사 오면 되는 거 아닌가 싶다가도 또 한편으로
는 이 몰골로 아무렇지 않게 다녀올 수 있을까 걱정이 앞
서며 짐짓 두려워졌다. 조심스럽게 다시 화장실 불을 켜고
거울 앞에 섰다. 여전히 눈 아래와 팔 군데군데가 투명해
속이 다 보였다. 변함없이 징그러웠다.

난 의기소침한 상태로 다시 침대로 가서 누우려다가 당
연한 사실을 깨달았다. 마스크와 긴팔 트레이닝복이면 투
명한 피부를 가리는 건 일도 아니었다. 마스크가 평범해진
시대에 이상하게 보일 것도 없었다. 당장 나갈 채비를 하
고 자주 가던 가까운 편의점으로 향했다. 작은 크기의 컵
라면 2개와 더블 사이즈 삼각김밥 1개, 그리고 평소에 애
용하던 담배 한 갑을 사서 나왔다. 아무 일도 일어나지 않
았다. 피부가 투명해진다고 해서 당연히 타인의 시선을 받
는 건 아니었다. 더구나 겨울이다. 온몸을 꽁꽁 싸매는 게
당연한 계절. 내 피부가 투명하다는 걸 직접 보여주지 않
는다면 누군가를 놀라게 할 일도 없었던 것이다.

집으로 돌아와 사온 컵라면에 뜨거운 물을 붓고 담배를
한 대 태우며 기다리는데, 아까 올린 글이 자꾸 떠올랐다.
참아야 한다는 마음보다 호기심이 더 커졌다. 떨리는 마음
으로 커뮤니티에 접속했다. 사진까지 올렸는데 익명의 대
중은 과연 어떤 반응을 보일지 자못 궁금했다. 내가 올린
글 제목 옆에 댓글 수가 표시되어 있었다. 무려 100개가

넘었다. 가장 최근 댓글부터 차례대로 읽어나갔다. 수긍의 반응과 불신의 반응이 반반 정도 될 거라는 예측이 무색하게 비난 일색이었다. '하다 하다 이젠 이렇게 포토샵까지 하나요?', '망상이 심한 것 같아요!', '관심 끌려고 별짓을 다 하네요.', '예전에도 투명인간 목격담 올라온 적 있지 않나요?', '그 사람보다 상태가 더 심각합니다. 쯧쯧.' 등등. 많은 이들이 내 상황을 믿지 못했다. 이전 투명인간 목격 담보다 업그레이드해서 더 명백한 증거 사진으로 투명해진 피부가 명확하게 잘 보이는 내 팔을 찍어서 올렸는데도 반응이 이렇다는 게 심히 당황스러웠다. 사람은 정말 자기가 믿고 싶은 것만 믿는 것일까. 나라는 투명인간이 여기 버젓이 존재하지만, 그들의 머릿속에는 절대 실존하지 않는 것이었다. 지금 미칠 지경인 내 현 상태를 아예 믿지 못하는, 익명으로 존재하는 대다수 사람에게 알 수 없는 분노가 치밀었다.

부정 분노 **타협** 우울 수용

 속을 시원하게 풀어줄 거라고 기대하며 먹었던 라면은 예상과 달리 맛이 별로였다. 입맛이 떨어진 것이다. 나를 이해하는 사람은 아무도 없을 거야, 라고 확신하는 단계가 되니 기본적인 욕구마저 시원찮아진 것이었다. 이 상황에서 뭘 해야 할지 감도 잡히지 않았다. 병원에 가는 것도 당연히 고려 대상이었지만, 정말 죽을 날이 얼마 남지 않았다는 말이라도 할까 봐 겁이 나 차마 발걸음을 옮길 수가 없었다. 그러는 사이 시간은 잘도 흘러갔다. 아침에 눈을 뜨면 거울로 직행했다. 그대로였다. 매일 기대와 실망을 반복했다.

거울을 보면 볼수록 흉측했다. 투명해진 피부 부위가 점점 넓어졌다. 한숨이 절로 나왔다. 샤워할 때마다 흠칫 놀랐다. 아무리 보고 또 봐도 적응이 되지 않았다. 잠을 자고 나면 피부가 원래대로 돌아올 거란 순진한 기대는 처참하게 박살이 났다. 날이 갈수록 피부가 투명해지는 속도도 빨라지는 듯했다. 그나마 다행이었던 건 피부가 투명해졌을 뿐 만졌을 때 피부의 질감이 달라지지도 않았고, 통증도 전혀 없다는 것이었다. 모든 일은 마음먹기에 달려 있다는 고리타분한 말을 가슴에 새겼다. 편의점에 아무렇지 않게 다녀올 수 있었듯이 내가 굳이 신경을 쓰지 않으면 특별히 문제가 될 것도 없다, 고 여기려고 애를 썼다. 몇 학점 남지도 않은 막학기를 망칠 수 없었기에 모자를 눌러쓰고 맨 뒷자리에서 꽁꽁 싸맨 채로 강의도 열심히 들었다. 밥이나 같이 먹자는 민혁의 제안도 취업 준비로 바쁘다면서 뿌리치고 집으로 곧장 돌아오곤 했다.

인간은 자고로 적응의 동물이라 하지 않았던가. 보름쯤

지나니 내 상태에 익숙해졌다. 처음에는 이게 꿈일 거라며 부정했다가 내 상황을 이해해주지 않은 타인들에게 분노했다가 이젠 그 모든 상황과 타협하는 단계에 이른 것이다. 보는 걸 두려워했던 내 몸을 점점 아무렇지 않게 볼 수 있게 되었다. 그것도 모자라 내 속을 유심히 들여다보는 경지에까지. 신체의 부위에 따라 투명도가 다 달랐다는 것이 무척 경이로웠다. 투명한 피부를 최초로 목격했던 눈 아래 볼 주변은 근육마저 투명해져서 이젠 뼈까지 보였다. 양팔, 양다리는 군데군데 근육까지는 안 보이고 피가 세차게 도는 게 보였다. 피가 그렇게 빨리 온몸을 돌고 있다는 사실이 새삼스러웠다. 가장 장관이었던 건 내 심장이 뛰는 걸 볼 수 있었다는 것이다. 이렇게 매일 같이 쉬지 않고 뛰고 있다는 사실을 알게 되니 신체에 대한 무한한 경외심이 생길 지경이었다. 변화하고 있는 내 몸을 받아들이니 동영상과 사진으로 계속 기록하는 것도 문제될 게 없었다.

매일 같이 원인을 생각했다. 세상을 살다보면 물론 이유 없이 일어날 수 있는 일도 있겠지만, 대부분 원인이 명확하게 존재하는 게 일반적이다. 내가 뭘 했던가. 뭘 먹었던가. 누구와 만났던가. 내 마음이 어떻게 변화했는가. 내 몸의 변화를 가져온 원인을 찾고 싶었다. 문득 그런 생각을 했다. 민혁과 술을 마신 다음 날, 이런 증상이 발현되긴 했지만, 원인은 전혀 다른 곳에 있지 않을까. 그 전에 다른 일이 뭐가 있었을까. 기억을 계속 뒤로 돌려봤다. 특별했던 날이 떠올랐다. 마지막 학기가 시작하고 얼마 되지 않을 때였다. 취업 스터디! 그래, 취업 스터디가 있었다.

학교명, 취업 스터디, 나이, 학번 등의 키워드를 치기만 했을 뿐인데 몇 개의 단체 채팅방이 떴고, 거기서 적당히 괜찮아 보이는 채팅방에 입장했다. 취업에 대한 팁은 다들 거기서 거기였다. 다들 학생들이니 전문적인 식견을 보여줄 수 없는 게 당연했다. 하품이 나오려던 찰나 누군가 오프라인 만남을 제안했다. 실전처럼 면접관과 지원자가 되어 모의 면접을 진행해보자고. 아직 서류조차 한 번도 통과하지 못한 나였으나 미리 준비해서 나쁠 것 하나 없었고, 학교 내에서 만나자고 하길래 별 부담 없이 참석했다. 마치 짠 것처럼 남자 3명, 여자 3명이었다. 다들 스트레스를 받아서인지 화기애애한 분위기는 아니었다. 그날 이후로 약속이나 한 것처럼 단체 채팅창에서 말하는 사람은 아무도 없었다. 아마 은진이 아니었다면 취업 스터디는 내 기억에서 아예 사라져 되돌아오지 않았을 것이다. 내 눈에 단번에 들어왔던 은진. 그 외엔 별다를 게 없다고 생각했는데, 이제 와 생각해보니 면접관 역할을 했던 동갑내기 은진의 마지막 질문이 조금 이상했다는 게 떠올랐다.

"마지막으로 하고 싶은 말 없으신가요?"

"네, 저는 면접에 충실하게 임했고 이것으로 충분하다고 생각합니다. 감사합니다."

"그럼, 제가 마지막으로 한마디 하죠."

"네?"

"면접관이 마지막으로 말할 수도 있는 거죠? 저의 마지막 말은 질문의 형태가 되겠네요."

"아…. 네, 그러시죠."

"혹시 남에게 말할 수 없는 비밀이 생긴다면 어떻게 하시겠어요?"

"비밀이요?"

"네, 어떤 누구도 믿기 힘든 그런 비밀이요."

맞다. 그랬다. 은진은 뭔가 알고 있다는 듯한 표정으로 그런 말을 했었다. 난 그때 너무 생뚱맞다고 생각한 나머지 제대로 답하지 못하고 얼버무렸다. 호감을 품은 이성이었던 은진. 그녀가 내 피부의 변화와 무슨 연관성이 있을 수도 있다는 걸 전혀 고려하지 않았다. 심지어 모든 걸 미리 알고 있다는 듯 여유로운 표정으로 내게 마지막 질문을 했던 은진이었는데 말이다. 피부가 투명해지는 건 나에게 너무 절실하고 심각한 문제였기에 수면 아래 숨어있는 은진이라는 연결고리를 발견하지 못한 것이다. 사건의 전말을 열 수도 있는 은진이라는 열쇠가 떠오르자마자 핸드폰을 열어 메신저 창을 한참 내렸다. 다행히 단체 채팅방이 아직 남아 있었다. 방이 폭파되진 않은 것이다. 들어가 보니 학기 초에 잠시나마 열정적으로 모의 면접했던 문제의 바로 그날 이후로 채팅방의 시간은 멈춰 있었다. '○○님이 방에서 나가셨습니다.'라는 차가운 메시지만 주르륵 나열되어 있었다. 나만 채팅방에 혼자 남아 있는 건가 싶어서 사용자를 살펴봤는데, 한 명이 더 있었다. EJ라는 대화명. 은진이었다. 비록 온라인이지만 그녀는 아무렇지 않게 그 자리에 그대로 남아 있었던 것이다. 심장이 두근거렸다. 아니, 세차게 뛰었다. 난 은진에게 조심스럽게 텍스트로 말을 건넸다.

[은진이 맞지? 오랜만이야. 나 기억나?]

내가 메시지를 남기기가 무섭게 '…' 표시가 일렁이며 은진이 대답하고 있다는 증거가 표시되었다. 그녀는 과연 무슨 말을 먼저 할 것인가? 도무지 대답이 예상되지 않았다.

[이제야 연락하다니. 너는 꽤 둔한 편이구나.]

역시 예사롭지 않은 대답이었다. 모의 면접할 때 마지막
으로 내게 했던 말이 우연이 아니라는 사실이 곧바로 증명
된 듯했다.

[내가 왜 연락했는지 알고 있는 거지? 맞지?]

[당연히 알지]

[어떻게 아는 거야?]

[바로 얘기해주면 너무 재미없잖아]

[그럼 언제 얘기해주려고?]

[우리 만나야 하지 않을까?]

[만나자고?]

[응, 네가 왜 그런지 알고 싶지 않아?]

[알고 싶어. 너무너무 알고 싶어]

[어디서 만날까?]

[어. 그럼 혹시 학교 근처에 보물섬이라고 알아?]

[알지. 나도 거기 가끔 가. 그럼, 내일 만나자. 오후 1시]

[그래, 알았어]

부정 분노 타협 **우울** 수용

은진과 만난 그날, 기분이 무척 이상했다. 긴장했는지
손과 등줄기가 진땀으로 인해 축축했다. 마스크와 모자,

겨울에 안 어울리는 선글라스까지 낀 채로 약속 시각보다 약 30분 전에 보물섬에 도착했다. 보물섬은 내가 민혁과 자주 오던 단골집, 우리만 그 진가를 아는 비밀 공간이라고 생각했는데 은진도 이곳의 존재를 알고 있다니 조금 의외였다. 보물섬은 사장이 바뀐 뒤부터 새로운 경영 방침에 따라 낮엔 카페로 운영되었고, 밤엔 술집이 되었다. 하나의 공간이었지만, 밤과 낮의 색깔은 전혀 달랐다. 노는 학생들에게 최적화된 장소였으나 아직은 입소문이 많이 나지 않아서 손님이 그렇게 많지 않았다. 난 변장 수준으로 온몸을 감췄지만, 사장은 내가 누군지 바로 눈치챘다. 사장은 보물섬을 인수해서 운영하기 전부터 이런저런 자영업에 잔뼈가 굵은 사람이었다. 기가 막히게 사람을 잘 알아봤다.

"어, 오랜만이네? 요즘 왜 이렇게 안 왔어. 잘 지내지?"
"네, 그럼요. 잘 지내셨죠?"
"낮이니까 아아 맞지?"
"네, 역시 사장님! 잘 아시네요."

내 옷차림과 꼭꼭 숨긴 얼굴에 대해서 뭐라도 한마디 할까 봐 조마조마했는데, 사장은 아무 말도 하지 않고 주방으로 들어가 음료를 준비했다. 은진을 기다리는 동안 그동

안 내게 일어난 일에 대해서 은진의 존재에 대해서 그리고
바로 이 자리에서 밝혀질 비밀에 대해서 곰곰이 생각을 정
리했다. 불과 전날까지만 해도 나만 은밀하게 아는, 기묘
한 현상을 겪고 있는 것이라 믿어오고 있었는데, 이렇게
내 비밀을 먼저 알고 있는 사람이 있다는 사실에 조금 당
황스럽기도 했다. 제3자가 이렇게 빨리 개입할 줄은 몰랐
다. 조금 후 사장이 내온 아이스 아메리카노를 벌컥벌컥
들이켰다. 그때 마침 출입문 쪽에서 딸랑거리는 소리가 들
렸다. 음료를 마시다 말고 또 반사적으로 고개가 돌아갔
다. 은진이었다. 틀림없는 은진이었다. 그녀가 몇 번 두리
번거리다가 내가 앉은 곳으로 거침없이 다가와 맞은편에
앉았다.

"우리, 오랜만이네. 여기 좋아. 나도 가끔 왔었어."

은진이 놀랄 말을 한 것도 아닌데 난 순간적으로 심하게
사레가 들려서 캑캑거렸다. 은진은 그렇게 어설픈 나를 아
랑곳하지 않고 나도 뭐 시켜야지, 하면서 자리에서 곧바로
일어났다. 계산대에서 팔을 괴고 있는 사장에게 신속하게
음료를 시키고 돌아와 맞은편 자리에 털썩 앉았다. 은진의
거침없는 움직임에 최대한 당황한 티를 내지 않으려고 했
지만, 긴장되는 건 어쩔 수 없었다. 마주 앉아 은진을 쳐다

보는데 이상하게 떨림이 멈추지 않았다. 선글라스를 껴서 내 눈이 잘 보이지 않는 상황이었는데도 불구하고 아무렇지 않게 그녀의 눈을 마주할 수가 없었다. 무슨 말부터 먼저 꺼내야 할지 정리되지 않았다. 뒤죽박죽이었다. 호감 있는 상대 앞에서 초짜가 보일 수 있는 지극히 평범한 반응이었다. 내가 그렇게 할 말을 고르고 있는 사이에 은진이 답답하다는 듯이 나를 뚫어져라 보면서 포문을 열었다.

"왜 이렇게 오래 걸렸어?"

"…."

"연락이 너무 늦은 거 아냐?"

"무슨 말인지 잘 모르겠어…."

"나 좋아하는 거 아냐?"

"…."

"솔직하게 얘기해도 돼. 이런 상황 익숙하니까."

"어…. 그래. 그런 것 같아."

난 면접관처럼 묻는 은진에게 잔뜩 긴장한 지원자처럼 고분고분하게 대답했다. 그래, 맞다. 은진에게 호감을 느꼈던 게 분명하다. 그날 하면 은진밖에 떠오르지 않았으니까. 은진이 묻는 말에 난 우물쭈물 대답하며 어색한 미소를 지었다. 마침 은진이 시킨 음료도 곧 나왔는데, 나와 같

은 아이스 아메리카노였다. 사장은 별말 없이 은진의 앞에
잔을 내려놓았다. 은진은 커피를 한 모금 마신 후부터 기
다렸다는 듯이 쉴 새 없이 떠들었다. 자신의 지난 연애사
를 계속 얘기하는 것이었다. 은진은 내가 생각한 것보다
훨씬 더 직설적이고 솔직했다. 시기만 몰랐을 뿐, 내가 자
신에게 반드시 연락을 해올 것이라는 것도, 자신을 향한
내 감정도 이미 다 알고 있다고 말했다. 다 알고 있다는 듯
이 말하는 건 전날 나와 메신저로 얘기했을 때와 별반 다
르지 않았다. 근데 정작 내가 은진에게 호감이 있는 게 내
피부가 투명해지는 것과 대체 무슨 상관인지 직접적으로
알려주지는 않아서 난 점점 더 궁금하고 초조해졌다. 은진
의 말을 들으면서 나도 모르게 울상이 되어갔던 모양이다.
그러자 은진이 대놓고 핀잔을 주면서 말했다.

"야, 울지 말고. 지금부터 내가 하는 얘기 잘 들어."

은진은 크게 심호흡을 한 번 하고 나를 똑똑히 쳐다보면
서 말했다. 피부가 투명해지는 이유는 다름 아닌 호감이었
다. 어떻게 보면 비밀의 내막은 간단했지만, 거듭 생각할
수록 놀라웠다. 은진은 자신을 좋아하는 남자들이 하나같
이 피부가 점점 투명해진다고 말했다. 나는 차분히 은진의
말을 경청하기 시작했다. 은진이 그 일을 처음 겪은 건 고

등학교 1학년 때였다고 한다. 자신에게 처음 고백이라는 걸 한, 옆 학교 남학생이 한 명 있었는데, 은진은 며칠 뒤에 그를 다시 만났다. 그가 다정하게 은진의 손을 잡고 집으로 데려다줄 때 남학생의 손이 이상해 보였다고 했다. 투명해지는 피부를 최초로 목격했던 순간이었다. 은진은 화들짝 놀랄 수밖에 없었다. 그의 손을 뿌리치고 혼자 온 힘을 다해 달려서 도망쳤다. 그때만 해도 은진 역시 남학생의 피부가 왜 그렇게 변하는 건지 알 수도 없었고 무섭기도 해서 몇 날 며칠을 울기 바빴다고 했다. 며칠 뒤 은진은 마음을 굳게 먹고 남학생에게 헤어지자고 말을 건넬 수밖에 없었다. 남학생도 그런 모습으로 사귀는 건 무리라고 생각했는지 은진의 말을 받아들였다고 했다. 문제는 그렇게 안타까운 이별을 한 뒤 일 년 정도 지나고 우연히 그를 다시 마주쳤을 때였다. 놀랍게도 그의 피부는 원래대로 돌아와 있었고, 아름다운 여자친구와 팔짱을 끼고 은진의 옆을 스쳐 지나갔다고 했다. 은진은 직감으로 알 수 있었다고 했다. 문제는 남학생이 아니라 은진 자신에게 있다는 걸.

은진은 그 뒤로 어떤 남자를 만나더라도 남자의 피부가 투명해지는 변화를 막을 수가 없었다고 했다. 겁먹지 않고 차분하게 은진의 옆을 지킬 수 있게 해달라고 애원하는 남자도 간혹 있었다고 했다. 그러나 은진은 결과적으로 그 누구의 마음도 받을 수 없었다고 했다. 남자가 자신을 좋아하면 좋아할수록 피부가 더 광범위하게 투명해졌으니까. 피부가 투명해지다 못해 나중에는 피부뿐만 아니라 장기들마저 점점 투명해지는 걸 목격하자 남자들도 더는 버티지 못하고 도망가기 일쑤였다고 했다. 은진은 어떤 누구와도 온전한 사랑을 할 수 없도록 신으로부터 이런 말도안 되는 형벌을 받은 것 같다고 했다. 말하는 동안 은진의 표정은 점점 어두워졌다. 은진은 자신이 그렇게 잘못 살아왔는지 잘 모르겠지만, 그렇다고 남에게 피해를 준 적도 없었는데 왜 이런 일이 자기에게 일어났는지 알 수가 없다고 말했다. 그 말을 듣자마자 얼마 전 내 모습이 떠올랐다. 이 상황을 겪으며 미지의 누군가를 원망했던 순간이 기억났다. 은진의 말을 다 듣고 나니 무슨 말을 해줘야 할지 더 암담해졌다. 사람의 마음은 이리도 변화무쌍한가. 나보다 은진의 처지가 더 안타깝게 느껴졌다. 얘기를 할수록 풀이 죽는 은진에게 무슨 말이라도 해줘야 하는데 말이 쉽게 나오지 않았다. 이번에도 은진이 내가 망설이는 걸 눈치챘는지 다시 결정적인 말을 꺼내고야 말았다.

부정 분노 타협 우울 **수용**

"그러니까 너도 더 마음 커지기 전에 그냥 접어. 날 좋아하면 좋아할수록 네 피부는 더 심각해질 거야. 피부뿐만 아니라 네 모든 게 다 투명해질 거야. 내가 거짓말하는 게 아니라는 건 네 몸이 이미 증명하고 있고. 지금부터 날 떠올리지 않으면 며칠 뒤에 네 피부는 다시 원상태로 돌아와. 너 취업해야 하잖아. 그 몸으로 면접을 볼 수도 없는 거고."

이미 이런 상황을 여러 번 겪어왔다는 듯 체념하면서 말하는 은진의 눈빛이 무척 쓸쓸했다. 괜히 난 앞에 놓인 아이스 아메리카노로 반복해서 목을 축였다. 우리 둘 사이에 한동안 침묵이 흘렀고, 공기는 어색해졌다. 그리고 내가 입 밖으로 담담하게 꺼낸 말은 은진의 충고에 반하는 내용이었다.

"은진아, 난 어쩌면 이런 순간을 꿈꿔왔는지도 몰라. 아직 너에 대한 호감이 아주 큰 것도 아니지만, 너만 괜찮다면 난 너 만나보고 싶어. 내 피부가 투명해지면 어때? 어쩌면 네 말대로 온몸이 다 투명해진다면? 그것도 나쁘지 않을 것 같아. 어쩌면 난 너에게 거짓말을 할 수 없겠지. 내 피부 상태가 너에 대한 마음의 정도일 테니. 이런 투명한 사랑이 어딨을까. 생각하기 나름인 것 같아. 난 천천히 시작해보고 싶어. 네가 날 허락한다면."

"그런 호기심으로 사랑을 시작하는 게 맞을까? 낭만적으로 생각할 게 아니라니까."

"나 말이야. 진짜 너란 사람이 궁금해졌어."

은진은 손을 휘저으며 정색했지만, 난 은진의 입꼬리가 천천히 올라가는 것을 똑똑히 보았다. 잃어버린 퍼즐 한 조각을 찾은 기분이었다. 숨겨진 은진의 이야기를 듣고 곰곰이 생각해보니 그랬다. 내 피부가 투명해지기 시작한 건 그녀에게 처음으로 호감이 생긴 뒤 얼마 지나지 않아서였다.

작가의 말

2021년 2월, 세 번째 개인 저서 『당신의 인생 어딘가』를 쓰고 펴낸 후 지난 2년간 대체로 행복하지 않았습니다. 에필로그의 서두를 여는 첫 문장으로는 적절하지 않을 수도 있지만, 이렇게 솔직하게 털어놔야만 할 것 같았습니다. 그게 이 책을 읽은 분들께 최소한의 예의가 아닌가 싶었거든요. 찰나의 기쁨 한 조각 같은 행복의 기억조차 전혀 없었다고 말한다면 그건 아마 거짓말이겠죠. 제가 하고 싶은 말은 타인이 절대 침범할 수 없는 행복을 맛본 적이 없었다는 것입니다. 그야말로 단단한 행복 말이죠. 원래 인생이 그런 거라고, 행복이 목적이 되어서는 안 되는 거라고 한다면 할 수 없지만요. 쓰는 사람으로 살고자 했던 사람이 쓰지 못하는 지경에 이르니 꽤 힘들더군요.

소설을 쓰는 게 즐겁지 않았습니다. 더는 소설을 쓸 수 없을 것 같은 절망감에 겁이 났습니다. 갑자기 무슨 소린가, 이게 소설가가 할 소리냐고 일갈하셔도 변명하고 싶지 않습니다. 사실이었으니까요. 단시간에 많은 작품을 쏟아낸 이후 찾아온 기나긴 슬럼프는 제 삶을 서서히 잠식해 갔습니다. 알게 모르게 바쁜 일정을 소화했고, 이런저런 활동을 꾸준히 해왔던 터라 아마 주변 사람들조차 제가 이 정도로 심각한 상태인지는 몰랐을 겁니다. 저는 정기적으로 상담을 받고 있는데요. 처방받은 약(ADHD, 우울증 등)도 성실하게 복용해왔으니, 이제는 괜찮아져야만 한다고 저 자신을 강하게 다그치고 있었습니다. 그게 문제였던 것 같습니다.

어느 순간 인정했습니다. 여전히 난 지금 힘들다고. 괜찮지 않다고. 다만 그렇다고 해서 심리적 불안이 소설을 쓰지 못할 전적인 이유가 되지는 않는다고. 아무리 힘들어도 쓰는 건 할 수 있다고. 번아웃과 슬럼프로 점철된 시간을 뒤로하고 내적 방황과 불안을 연료 삼아 한 문장 한 문장 쌓아가다보니 글의 덩어리가 여럿 생겼습니다. 그리고 그 덩어리들을 이리저리 굴리다보니 소설집에 실을 수 있는 형태에 조금씩 가까워졌습니다. 단번에 도약할 수는 없었습니다. 지루하고 암담한 시간을 버티니까 어느새 이번 소설집의 윤곽이 드러난 것뿐이었죠. 무엇을 쓸지 막막하더라도 빈 화면의 커서가 반짝거리는 순간을 회피하지 않고 시간을 투자하다보니 거짓말처럼 완성에 가까운 소설이 모습을 드러냈던 것입니다. 다 쓰고 나니 알게 되었습니다. 제게 있어 소설 쓰기는 '선택의 연속성'을 문장으로 확보해 나가는 행위의 반복일 뿐이었다는 걸요. 마치 인생이 선택의 연속으로 이뤄진 것처럼요. 전 저를 포함한 누군가의 인생을 소설이라는 형태를 빌려 대신 구현하고 있었던 것입니다.

제 소설 속에 나오는 인물들은 망설이고 주저하기도 하지만 어쨌거나 계속 무언가를 선택합니다. 우리가 살아가는 현실의 누군가가 그런 것처럼요. 누군가의 선택은 인물에게 좋은 결과를 가져오지 않은 경우도 많습니다. 무언가를 선택하는 인물들의 심리 상태와 행동 묘사를 통해서 삶의 부조리를 조금이나마 조명하고 싶었습니다. 역설적으로 당신의 삶은 소설 속에 나오는 인물들보다는 훨씬 안전하고 평온하다고 말하고 싶었습니다.

또 하나 고백할 게 있습니다. 이 에필로그의 초안은 소설을 다 완성하기 전에 썼습니다. 이미지 트레이닝을 적극적으로 활용한 셈이죠. 신기하죠. 미리 써놓으니 괴로워도 쓸 수밖에 없는 시간을 만났습니다. 저는 이것도 일종의 기적이라고 생각합니다. 기적이라는 것도 결국 뭔가를 실행할 때 생기는 거더라고요. 소설을 써나가는 과정에서 시간을 쪼개어 소중한 의견을 주신 절친한 동료들과 지인들에게 고맙다는 말도 꼭 하고 싶습니다.

지금까지 그래왔듯 앞으로도 저는 자주 불행하다고 느

끼고 아주 가끔 행복을 만나는 삶을 살아갈 것입니다. 쓰는 사람으로 살아야 한다면, 그것도 소설을 쓰는 사람으로 살아가려 한다면 어쩔 수 없이 받아들여야 하는 삶의 한 형태인 듯합니다. 전 이 삶의 형태를 온전히 받아들이고 가져가려 합니다. 네 번째 개인 저서이자, 세 번째 단편 소설집인 『선택은 망설이다가』를 끝까지 읽어주셔서 진심으로 감사합니다. 저는 '쓰는 사람'으로 계속 살겠습니다.

2023년 5월, 쓰는 사람 임발

수록지면

선택은 망설이다가

ⓒ 임발, 2023

초판발행	2023년 5월 23일
초판2쇄	2024년 10월 18일

기획	임발
글쓴이	임발
펴낸곳	빈종이
편집	임발
표지 일러스트	서현진
디자인	임발
교정	고유, 마운틴구구, 이지선

출판등록	2019년 9월 2일, 제2019-000015호
이메일	imbal@naver.com
인스타그램	@room_of_imbal

ISBN	979-11-969105-9-4 (03810)